LE GUIDE
DU BRUNCH
À PARIS

PHILIPPE TOINARD

PRÉFACE DOMINIQUE ARTUS

BLANCHET
BRIK
SCANI
E FERT

ITIN... ...NOMIQUES
LES ÉDITIONS DE L'IF

REPÈRES
DU GUIDE

SOMMAIRE

LE PAL-MARÈS

LES BRUNCHS ÉTOILÉS

3 ÉTOILES ★★★

MURANO URBAN RESORT	3ᵉ ardt
LES AMBASSADEURS – HÔTEL DE CRILLON	8ᵉ ardt

2 ÉTOILES ★★

LE RITZ	1ᵉʳ ardt
PARK HYATT PARIS-VENDÔME	2ᵉ ardt
LES ÉDITEURS	6ᵉ ardt
LE PERSHING HALL	8ᵉ ardt

1 ÉTOILE ★

LA FERME	1ᵉʳ ardt
SCOOP	1ᵉʳ ardt
KONG	1ᵉʳ ardt
COMPTOIR PARIS-MARRAKECH	1ᵉʳ ardt
À PRIORI THÉ	2ᵉ ardt
L'ARBRE À CANNELLE	2ᵉ ardt
LE 404	3ᵉ ardt
B. TEA'S	3ᵉ ardt
LE CAFÉ BEAUBOURG	4ᵉ ardt
L'HEURE GOURMANDE	6ᵉ ardt
L'ALCAZAR	6ᵉ ardt
LE LIBRE SENS	8ᵉ ardt
LE FLORA DANICA	8ᵉ ardt
LADURÉE	8ᵉ ardt
CAFÉ DU MUSÉE JACQUEMART-ANDRÉ	8ᵉ ardt
HYATT REGENCY PARIS-MADELEINE	8ᵉ ardt
LE SAFRAN – HÔTEL HILTON	8ᵉ ardt
FINDI	8ᵉ ardt
TRÈMA	10ᵉ ardt
BLUE ELEPHANT	11ᵉ ardt
JUAN & JUANITA	11ᵉ ardt
HÄNSEL & GRETEL	13ᵉ ardt
L'INFINITHÉ	15ᵉ ardt
LE ZEBRA SQUARE	16ᵉ ardt
LE KIOSQUE	16ᵉ ardt
SIR WINSTON	16ᵉ ardt
THÉ COOL	16ᵉ ardt
CÔTÉ SALON	17ᵉ ardt
CINNAMON	17ᵉ ardt
LA TERRASSE DU JAZZ – HÔTEL MÉRIDIEN	17ᵉ ardt
TROUBADOUR COFFEE HOUSE	20ᵉ ardt

PARISIEN, ON VOUS DIT...

Le brunch est entré dans Paris au début des années 80, (on ne disait pas encore les 80's), dans les valises des Américains, qui n'étaient pas encore devenus nos meilleurs ennemis. Quelle idée, pour des Parisiens habitués alors au bistrot sale et bruyant avec café et tartine beurrée, d'aller s'attabler longtemps pour consommer un *mix* de petit-déjeuner et de déjeuner en un seul repas... Le dimanche de surcroît, jour du sacro-saint gigot-haricots. Pas gagné, aurait-on dit avant de l'avoir testé.

Mais les jeunes branchés de la night ont vite compris le plaisir de se retrouver vers 13 ou 14 heures, la tête encore embrumée des beats de la veille, avec sa fiancée ou son nouvel ami, autour d'une table conviviale, où jus d'orange, œufs brouillés, saumon fumé, thé, café, fruits, scones, voisinaient avec de nouvelles recettes devenues cultes depuis, j'ai nommé les œufs Benedict, vrai summum du brunch avec les pancakes, of course. Un brunch sans pancake n'est pas un brunch, avis aux restaurateurs qui oublieraient un peu vite leurs fondamentaux. J'ai déjà traversé Paris pour le moelleux d'un pancake arrosé de sirop d'érable... Le Parisien, une fois conquis, reste toujours courtois, mais il ne faut trop le pousser quand même. Alors attention aux contrefaçons.

Né dans la confidentialité d'adresses discrètes et confortables des Halles, le mythique Joe Allen par exemple, le brunch, comme toute star montante, a ensuite gagné les beaux quartiers, les berges de la Seine, puis le 8e show-biz. Avant son apothéose, sa consécration culinaire, son nirvana

PAR **DOMINIQUE ARTUS**
DIRECTEUR DE LA RÉDACTION D'**À NOUS PARIS**

gastronomique : convertir à sa cause les grands hôtels parisiens. Eh oui, voir Le Crillon, le Hyatt, le Méridien ou encore le Ritz offrir des brunchs, (enfin, offrir... doux euphémisme à 68€ quand même), sonne comme la consécration ultime pour ce moment qui se veut une rencontre agréable et détendue au look casual chic, avec des ribambelles d'enfants qui piaillent, dessinent et s'empiffrent de confiture à la fraise, autour de parents qui se réveillent doucement. Bon, c'est vrai, au Crillon, ils piaillent beaucoup moins et on est loin, très loin, de l'ambiance Joe Allen.

Parce qu'à Paris, les anciens clubbers reconvertis en animateurs de famille nombreuse ont perpétué le mouvement. De l'Appart au Réservoir, en passant par le ludique Chez Justine ou le Murano ultra branché, un seul point commun : le brunch. Il est ainsi des modes indémodables. Et à l'époque où le retour du *flower power* fleurit la mode de toute part, irrigue la déco et l'ameublement, le brunch lui, est devenu une institution. Définitivement parisien on vous dit...

Aussi lui fallait-il un guide, pour se repérer dans la forêt des adresses, dénicher les trouvailles, traquer les arnaques. C'est le grand avantage avec Philippe Toinard, qui teste toujours toutes ses adresses, donc suivez le guide, lisez notes et appréciations et foncez les yeux fermés.

UN JOUR, J'AI OSÉ

INTRO-DUCTION

J'aime bruncher, c'est mon péché mignon. Chaque dimanche, je quitte mon nid douillet en prenant soin de ne pas réveiller ma belle et je file en cuisine me préparer un jus de fruits que je savoure en regardant le café couler. La tasse à la main, je reviens m'asseoir auprès de ma douce qui s'étire comme un chat. « *On va bruncher ?* » Son regard pétille, je sais qu'elle aime le dimanche pour cet instant magique qu'est le brunch. Le portable vissé à l'oreille, je fais le tour des amis et sans prétention aucune, il me faut à peine dix minutes pour réunir deux ou trois couples toujours ravis de m'accompagner dans mes pérégrinations gastronomiques dominicales. Le brunch a ceci de magique qu'il fait l'unanimité. Contrairement à un dîner où il faut s'y prendre long-temps à l'avance pour trouver une date commune et dénicher l'adresse qui sera à une distance respectable pour tous, le brunch peut réunir une poignée d'amis en moins de temps qu'il n'en faut pour presser une orange.

Où va-t-on ? La question revient chaque dimanche. Et chaque dimanche, la réponse est la même « *Là où nous sommes allés la dernière fois ?* » C'est encore une différence entre le choix d'un restaurant et le choix d'un brunch. Pour le premier, si nous avons nos adresses préférées où nous aimons revenir de temps à autre, il est tout de même fréquent de s'appuyer sur les critiques lues dans la presse pour découvrir un nouvel établissement et le tester. Pour le second, c'est nettement différent. Nous avons notre lot d'adresses testées et approuvées et personne n'ose tenter l'aventure dans un autre établissement. Nous retournons toujours là où nous savons que nous passerons un agréable moment pour le lieu, la décoration mais aussi pour le contenu de l'assiette. Le charme d'un brunch qui nous satisfait est sacré et il n'est pas question de le remettre en cause sauf qu'un jour, j'ai osé.

Avec une équipe de « bruncheurs » invétérés, nous avons sillonné Paris en semaine, parfois le samedi mais surtout le dimanche pour finalement dénicher plus de 200 adresses. Si après ça, vous me dites que vous allez toujours au même endroit !

LA MÉTHODOLOGIE

1 **Il ne s'agit pas d'une sélection mais d'un recensement.**
Il se peut malheureusement qu'une poignée d'adresses nous ait échappé malgré les kilomètres parcourus et toutes ces rues sillonnées. Si vous connaissez un établissement qui propose le brunch mais que vous ne le trouvez pas dans ce guide, faîtes le nous savoir, nous irons le tester pour une édition future.

2 **Dans chacun de ces établissements,** les enquêteurs ont testé, sans se présenter, la formule brunch proposée. En août 2005 à l'issue des visites, chaque adresse a été contactée par téléphone afin de mettre à jour les détails pratiques de l'établissement (prix du brunch, heures de service, nécessité ou non de réserver, présence ou non d'une terrasse).

3 **Si l'accueil, le cadre et le contenu du brunch** sont les principaux critères de notre jugement, nous avons été sensibles à des petits points de détail qui font la différence comme :

- la mise à disposition de la presse du jour,
- l'originalité des jus de fruits proposés et leur provenance,
- la diversité des confitures ou compotes,
- la qualité du café ou du thé,
- la volonté affichée de mettre en avant des produits artisanaux,
- le niveau sonore de la musique,
- le rapport contenu de la formule/prix,
- la sensation de pouvoir prendre son temps.

En revanche, nous avons été plus sévères envers les établissements qui : proposent des confitures de grandes surfaces et des jus de fruits industriels, ne servent pas les boissons chaudes à volonté, ajoutent des suppléments pour des produits qui pourraient être inclus dans la formule, présentent des formules brunch qui sont en définitive l'équivalent d'un déjeuner.

Certains établissements disposent d'une terrasse signalée par ce logo :

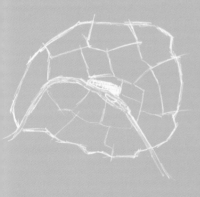

ARRONDISSEMENT **1**

L'AMAZONIAL

► **COSMOPOLITE**

3, rue Sainte-Opportune, 1ᵉʳ
M° Châtelet (lignes 1, 4, 7, 11, 14)
tél. 01 42 33 53 13
BRUNCH : samedi et dimanche, 11h30-18h
PRIX : 15,50€, 19,50 et 21€
RÉSERVATION : conseillée

ACCUEIL ET SERVICE	► **12**
CADRE ET ANIMATION	► **10**
BRUNCH	► **10**

Un lifting

Cet établissement mériterait un sérieux lifting. Comment peut-on encore être client d'une adresse aussi ringarde ? Pour boire un verre histoire de faire une pause au milieu d'un après-midi shopping, pourquoi pas. Mais de là à y passer un certain temps à l'heure du brunch, non merci.

On se croirait dans une pizzeria démodée posée sur le bord d'une nationale. Au fond de la salle, les tubes verts et oranges qui clignotent à tout-va permettent de mieux apprécier les paillettes incrustées sur les murs, et je ne vous parle pas des perroquets peints qui ressemblent à ces puzzles vendus dans les magasins de jouets. À pleurer !

Si l'on réussit à faire abstraction du décor et de la musique assourdissante, on retiendra du brunch de l'Amazonial qu'il n'est pas à classer dans le top 50 des brunchs de Paris. S'il est très copieux (coleslaw, salade verte, pommes sautées, œuf et poitrine de porc fumée), il est aussi trop gras, trop lourd, excepté la formule « Temple du Soleil » qui fait la part belle au saumon, aux crevettes et au tarama mais dont il faudrait penser à changer la dénomination. Jus de fruits, boissons chaudes et pancakes viennent compléter ce défilé de denrées que nous aurions aimées plus légères.

AU DIABLE DES LOMBARDS

▶ **COSMOPOLITE**

64, rue des Lombards, 1ᵉʳ
M° Châtelet (lignes 1, 4, 7, 11, 14)
tél. 01 42 33 81 84
BRUNCH : tous les jours, 9h-18h
PRIX : 17€, 20 et 23€
RÉSERVATION : conseillée

ACCUEIL ET SERVICE	▶ **12**	
CADRE ET ANIMATION	▶ **10**	
BRUNCH	▶ **7**	

Le comble

Quand vous arrivez au Diable des Lombards en semaine vers 10h30 et que vous demandez si vous pouvez bruncher, le serveur vous répond : « *Attendez, je vais demander au chef* » – un comble quand on sait que cet établissement se targue de servir le brunch de 9 à 18 h. Quelques secondes plus tard, la réponse est positive mais : « *Je suis désolé, ce sera sans pain, je n'ai pas eu le temps d'aller en chercher* ». C'est dommage, c'était, nous en sommes convaincus, le seul aliment mangeable de cette formule car pour le reste, un conseil, passez votre chemin. Le coleslaw est désespéré d'être servi en compagnie de pommes de terre sautées trop salées, trop persillées et surtout, trop grasses. Les œufs au plat ne sont pas assez cuits, quant à la poitrine fumée, elle est si sèche que le couteau a bien du mal à en venir à bout.

Ajoutons à ce lamentable tableau l'obligation de subir une musique nauséabonde, la visite de dames de compagnie qui viennent boire un café entre deux clients, les néons rouges et roses et les télévisions grand écran qui, elles aussi, sont branchées sur des émissions de musique aussi stupides qu'inutiles. Seul point positif, la gentillesse du serveur, mais c'est une bien maigre consolation.

LE BÉHO
▶ ORIENTAL

8, place Sainte-Opportune, 1ᵉʳ
M° Châtelet (lignes 1, 4, 7, 11, 14)
tél. 01 53 40 81 56
BRUNCH : dimanche, 12h-18h
PRIX : de 12 à 15€
RÉSERVATION : conseillée

ACCUEIL ET SERVICE	▶
CADRE ET ANIMATION	▶
BRUNCH	▶

À découvrir

À l'heure où nous imprimons, nous apprenons la création du Bého et sa volonté de proposer le brunch le dimanche. S'il nous est impossible de le juger à ce jour, nous vous laissons le soin de le découvrir et espérons qu'il relève le niveau du quartier où de nombreux établissements offrent des brunchs qui sont loin de nous satisfaire.

CAFÉ BENNET
▶ TRADITIONNEL

40, place du Marché-Saint-Honoré, 1ᵉʳ
M° Pyramides (lignes 7, 14)
tél. 01 42 86 04 24
BRUNCH : samedi et dimanche, 12h-16h
PRIX : 17€
RÉSERVATION : conseillée

ACCUEIL ET SERVICE	▶ 13
CADRE ET ANIMATION	▶ 13
BRUNCH	▶ 12

Bon rapport quantité-prix

Coincé entre le Point Bar et le Chanteclerc, le Café Bennett fait partie de ces établissements dont on parle peu. Il a pourtant du charme, ce restaurant, avec ses couleurs orange, jaune et rouge qui prédominent, ses jolies tables vitrées sous lesquelles ont été collés des petites voitures, des étoiles de toutes les couleurs et de toutes les tailles, sans oublier des petits cœurs que l'on aimerait pouvoir offrir à sa belle. S'il est malheureusement impossible de réserver en terrasse (une ineptie de la restauration parisienne) et que cette dernière est complète, réfugiez-vous à l'étage, on se croirait dans un appartement.

Le brunch, proposé par de jeunes serveurs aussi habiles qu'athlétiques (ils passent leur temps à monter et à descendre), ne nous a pas laissé un souvenir impérissable mais il reste tout à fait recommandable. Après les classiques boissons chaudes, jus de fruits et viennoiseries, place aux œufs brouillés, à l'assiette norvégienne ou au cheeseburger servis avant le crumble ou la salade de fruits. Si le rapport qualité-prix n'est pas le meilleur de la capitale, le rapport quantité-prix est quant à lui tout à fait honorable.

CARPE DIEM CAFÉ
▶ COSMOPOLITE

38, rue des Bourdonnais, 1ᵉʳ
M° Châtelet (lignes 1, 4, 7, 11, 14)
tél. 01 42 21 02 01
BRUNCH : samedi, 11h-16h
PRIX : 18€
RÉSERVATION : conseillée

ACCUEIL ET SERVICE	▶ 13
CADRE ET ANIMATION	▶ 15
BRUNCH	▶ 13

Zen attitude
Le plus discret des établissements branchés des Halles, installé à l'abri de l'agitation de la rue de Rivoli et du Forum, reçoit les bruncheurs uniquement le samedi. Vous pouvez choisir le niveau qui vous convient, sur la mezzanine (pour les non-fumeurs), non loin du bar ou dans la salle en contrebas, sans oublier d'aller jeter un œil au sous-sol où des artistes exposent leurs œuvres régulièrement. Il règne ici une sorte de zen attitude qui permet de passer un bon moment autour d'un brunch somme toute très classique mais sur lequel il est bien difficile de trouver la moindre critique. Sur la table, miel, marmelade

et confiture de groseilles viennent rejoindre les boissons chaudes servies à volonté et les jus de fruits proposés (orange, pamplemousse ou tomate). À suivre, œuf sur le plat au bacon ou tortilla aux légumes puis saumon fumé et pommes tièdes ou manchons de poulet grillé et salade aux noix. Cette formule se termine par un fromage blanc aux fruits rouges ou un fondant au chocolat. Nous connaissons des établissements qui proposent des brunchs beaucoup plus chers mais nettement moins bons.

CARR'S

▶ IRLANDAIS

1, rue du Mont-Thabor, 1ᵉʳ
Mᵒ Tuileries (ligne 1)
tél. 01 42 60 60 26
BRUNCH : samedi et dimanche, 12h-15h
PRIX : 14,60€
RÉSERVATION : conseillée

ACCUEIL ET SERVICE	▶ 15
CADRE ET ANIMATION	▶ 14
BRUNCH	▶ 12

Tranquillité assurée

Dans ce pub typique où flotte en façade le drapeau irlandais, on ne pratique pas le brunch mais l'irish breakfast, à savoir une formule sans boissons, composée de bacon, de saucisses, de pommes de terre et d'œufs au plat, et servie avec du pain blanc français ou du pain noir irlandais. Si au saut du lit vous rêvez de viennoiseries, de chocolat chaud ou de tout ce qui contiendrait une note sucrée pour réveiller votre bec, ce n'est pas ici que vous trouverez votre bonheur.

En revanche, si vous aimez le bel accent irlandais, les habitués qui attaquent à la bière, les grandes tablées en bois, les tomettes au sol, les bancs rustiques et les photos de rugbymen, cette adresse est pour vous. Tranquillité assurée, c'est loin d'être bondé et la clientèle, quelques touristes de retour du jardin des Tuileries, des Irlandais de souche et des habitués, est sage comme une image. À tenter au moins une fois.

COMPTOIR PARIS-MARRAKECH ★
▶ **COSMOPOLITE**

37, rue Berger, 1ᵉʳ
M° Les Halles (ligne 4)
tél. 01 40 26 26 66
BRUNCH : dimanche et jours fériés, 12h-17h
PRIX : de 20 à 26€
RÉSERVATION : conseillée

ACCUEIL ET SERVICE	▶ **13**	
CADRE ET ANIMATION	▶ **15**	
BRUNCH	▶ **14**	

Pour la mixité des cultures

Nous adorons cette adresse pour la mixité des cultures qui se retrouve dans l'assiette. Pour ne pas trop nous perturber dans nos habitudes de bruncheur, tout commence par du thé ou du café, des jus de fruits frais et des œufs brouillés que l'on apprécie en terrasse, face au jardin des Halles, ou à l'intérieur, dans un décor un peu sombre mais tellement dépaysant. La suite, c'est vous qui décidez parmi les quatre propositions.

Vous pouvez rester dans l'ambiance et opter pour l'assiette berbère (galette kefta) ou partir vers le Nord avec l'assiette nordique (saumon fumé), à moins que vous ne préfériez la végétarienne (poêlée de champignons et légumes sautés) ou la traditionnelle (salade de poulet, concombre et tomate à l'orientale). Puis tout le monde reprend le cours normal du brunch avec la crème de marrons et les différents assortiments de confiture et de miel qui viennent accompagner le quatre-quarts maison ou les crêpes berbères avant l'arrivée de la salade de fruits parfumée à la menthe.

LA FERME ★

55, rue Saint-Roch, 1ᵉʳ
M° Pyramides (lignes 7, 14)
tél. 01 40 20 12 12
BRUNCH : dimanche, 11h-16h
PRIX : 12€ (enfants) et 17€
RÉSERVATION : non

ACCUEIL ET SERVICE	▶ 13
CADRE ET ANIMATION	▶ 14
BRUNCH	▶ 15

Des cigales et des grillons

Le dimanche, depuis le printemps dernier, la Ferme n'accueille pas de célébrités mais des anonymes qui ont une folle envie de produits naturels, artisanaux et originaux. Si certains seront sans doute désarçonnés par le principe du plateau que l'on pousse comme dans une cafétéria de grande surface, ils finiront par oublier cette méthode de service peu conventionnelle quand ce dernier se chargera de mille et une gourmandises comme les cakes maison, le fondant au chocolat ou le cheesecake. Le plateau entre les mains, rendez-vous donc dans l'une des trois salles et, sans vouloir vous influencer, celle du fond est notre préférée.

Conçue par l'artiste Michel Morellini, cette cour-jardin est un véritable havre de paix où les oiseaux gazouillent en compagnie des cigales et des grillons. Au milieu de la salle, un arbre dont les racines sont entourées d'une grille (comme dans Paris) semble pousser vers des hauteurs cachées.

C'est dans ce petit paradis que l'on savoure le brunch traditionnel, le nordique ou le petit dernier aux saveurs du Sud, les yaourts de la Ferme de Coubertin à Saint-Rémy-lès-Chevreuse et les fabuleux jus de fruits d'Alain Milliat.

LE FUMOIR
► TRADITIONNEL

6, rue de l'Amiral-de-Coligny, 1ᵉʳ
M° Louvre-Rivoli (ligne 1)
tél. 01 42 92 00 24
BRUNCH : dimanche, 12h-15h
PRIX : 21 et 25,40€
RÉSERVATION : indispensable

ACCUEIL ET SERVICE	► 13
CADRE ET ANIMATION	► 15
BRUNCH	► 12

Salon-bibliothèque

Nous nous attendions à mieux. Ce Fumoir, qui reste dans le peloton de tête des bars branchés et recherchés, notamment pour ses rayons de soleil qui viennent lécher la terrasse avant de s'évanouir derrière le Louvre, propose un brunch qui n'est pas à la hauteur de l'établissement. Alors certes, on restera toujours épaté par la gentillesse des serveurs, leur disponibilité et leur professionnalisme, tous ces titres de presse mis à notre disposition, ces fauteuils clubs et ce côté salon-bibliothèque magnifiquement décoré.

Dans l'assiette en revanche, c'est tout autre chose. Si le pain maison est plutôt réussi, nous aurions aimé plus de choix, plus de créativité, plus d'envie. Au Fumoir, on vous sert un brunch d'un classicisme à pleurer : jus de fruits, thé ou café, pain et confitures, œufs Benedict ou saumon à l'aneth et pour conclure, pancake ou salade de fruits servie avec une crème.

Avouez que nous étions en droit d'imaginer quelque chose de plus « tendance » car entre nous, le brunch du Fumoir est le même que celui proposé par certaines brasseries parisiennes, avec le sourire en moins. Le décor ne fait pas tout !

L'IMPRIMERIE
► COSMOPOLITE

29, rue Coquillière, 1ᵉʳ
M° Les Halles (ligne 4)
tél. 01 45 08 07 08
BRUNCH : samedi, 12h-18h
PRIX : 18€
RÉSERVATION : conseillée

ACCUEIL ET SERVICE	► 13	
CADRE ET ANIMATION	► 13	
BRUNCH	► 12	

Aux allures de vieux bistrot

Avec son bar en bois en arc de cercle et ce tonneau planté dans l'entrée comme un phare au large d'Ouessant, l'Imprimerie a des allures de vieux bistrot. On imagine entrer dans un bar à vins avec sa farandole de charcuteries attendant le feu vert pour rejoindre le pain de campagne sur le comptoir. Alors certes, il a gardé son charme d'antan mais un relooking semble lui avoir donné une seconde jeunesse. De jeunesse, il en est d'ailleurs question derrière le bar (les serveurs), en salle (la clientèle) et en fond sonore (*RTL2* lors de notre visite). Autre signe d'un rajeunissement, le brunch.

La maison a opté pour quelque chose de simple et de bon aloi, sans prétention aucune, juste quelques victuailles à grignoter avant un après-midi dans Paris. Après la boisson chaude et l'orange pressée, nous sont proposées, l'assiette « dîner » plutôt copieuse et rustique (saucisse de Montbéliard, chipolata, bacon, pommes sautées, œufs brouillés et salade) ou l'assiette fraîcheur, plus light et diététique (saumon fumé, toast, œufs brouillés, salade et concombre à la menthe). Pancakes au sirop d'érable et fruits frais pour terminer. De quoi débuter la journée avec le sourire.

JET-LAG
► COSMOPOLITE

3, rue Montorgueil, 1ᵉʳ
M° Les Halles (ligne 4)
tél. 01 44 88 22 30
BRUNCH : dimanche, 9h-18h
PRIX : de 17 à 23€
RÉSERVATION : non

ACCUEIL ET SERVICE	► 14	
CADRE ET ANIMATION	► 14	
BRUNCH	► 13	

Des formules familiales

On doit à un certain Marco, le maître des lieux, cette nouvelle adresse située à quelques enjambées de l'église Saint-Eustache. Conçu autour d'une décoration moderne basée sur l'idée du temps qui passe et du voyage, le Jet-Lag juxtapose intelligemment un intérieur du genre industriel new-yorkais à des matériaux rares et de l'art contemporain, sans oublier une large collection de portraits à la Andy Warhol et des tableaux reproduisant des bandes dessinées des années 30.

En fond sonore, une musique très éclectique. Jugez plutôt, nous sommes entrés sur les chœurs de l'Armée rouge et sommes ressortis sur un air de Dalida voulu par un des serveurs vêtu, comme tous ses collègues, d'un costume de steward.

Avec un tel accoutrement, vous ne pouvez pas les manquer. Accueillants, souriants et dynamiques, ils servent un brunch « Classic » qui porte bien son nom. Boissons chaudes, oranges fraîchement pressées, beurre, confiture, pain et pancakes sont de la partie avant l'arrivée de deux œufs au plat, de poitrine fumée, de hash brown et de coleslaw. À cette base, vous pouvez ajouter un steak haché et vous entrez dans la formule « My Mother's Favorite », des chipolatas pour « My Father's Favorite » ou encore, et c'est la dernière formule, du saumon fumé, un bagel grillé et du fromage frais pour « My Grandmother's Favorite ». Ouvert 7 jours sur 7, nous aurions pu imaginer un brunch en bout de course préparé par des cuisiniers fatigués. Que nenni, la cuisine est de qualité avec mention spéciale pour le pancake. Une jolie découverte qui décolle.

JOE ALLEN
▶ **AMÉRICAIN**

30, rue Pierre-Lescot, 1ᵉʳ
M° Étienne Marcel (ligne 4)
tél. 01 42 36 70 13
www.joeallenrestaurant.com
BRUNCH : samedi et dimanche, 12h-16h
PRIX : de 18,50 à 21€
RÉSERVATION : conseillée

ACCUEIL ET SERVICE	▶ 13
CADRE ET ANIMATION	▶ 12
BRUNCH	▶ 11

Un cadre à la yankee

Depuis plus de trente ans, ce restaurant niché à quelques enjambées du trépidant Forum des Halles régale les amoureux, aficionados ou nostalgiques de la cuisine américaine, dont bon nombre de people.

Chez Joe Allen, s'il y a bien une formule brunch, les plats proposés ressemblent à peu de chose près à ceux qui sont servis en semaine, notamment les œufs brouillés, saucisses grillées et pommes de terre rôties au romarin. Donc, pour résumer, Joe Allen a concocté une formule brunch pour faire comme les autres et s'adapter au goût et aux habitudes des Français, mais toutes les propositions de cette formule sont de toute façon à la carte tout au long de la semaine. La seule différence est que le plat principal est entouré d'une boisson chaude, d'un jus de fruits et d'un muffin. Une fois sur place, il n'est d'ailleurs pas rare de voir les bruncheurs opter finalement pour un cheeseburger, des travers de porc sauce barbecue ou un poulet frit avec sa sauce au miel.

Le tout est certes servi dans un cadre à la yankee par un personnel virevoltant mais voilà, la cuisine est loin d'être à la hauteur. Les plats sont trop mous, trop avachis dans l'assiette. On aimerait plus de peps et si possible moins de gras… mais il est vrai que la cuisine américaine n'est pas connue pour sa légèreté.

KONG ★
▶ À LA CARTE

1, rue du Pont-Neuf, 1er
M° Pont-Neuf (ligne 7)
tél. 01 40 39 09 00
BRUNCH : dimanche, 12h-17h
PRIX : de 15 à 40€
RÉSERVATION : conseillée

ACCUEIL ET SERVICE	▶ 15
CADRE ET ANIMATION	▶ 16
BRUNCH	▶ 14

Kitsch, manga et hyper design

Face au Pont-Neuf, l'immeuble Kenzo abrite aux cinquième et sixième étages le restaurant Kong, imaginé par Laurent Taïeb et à la déco signée Philippe Starck. Dans un décor à la fois kitsch version manga et hyper design, le Tout-Paris se pointe dès midi pour apprécier la vue sur la Seine, écouter la musique faite maison et savourer un brunch proposé ici à la carte, un point suffisamment rare pour être souligné. Comme dans un restaurant, chacun choisit ce dont il a envie. Les œufs sont proposés de mille et une façons, au plat avec ou

sans bacon et saucisse, en omelette, brouillés, à la florentine aux graines de sésame ou Benedict sauce hollandaise. Un conseil, laissez de côté le cheeseburger, l'assiette de viande froide ou les asperges, un brunch ne doit pas être un mélange de tout ce qui peut tomber sous la main du cuisinier.

Seul point faible, une maison qui propose des desserts de Pierre Hermé devrait veiller à servir des confitures dignes de ce nom. Pourquoi offrir aux clients une vulgaire confiture industrielle quand on a le goût de travailler avec l'un des pâtissiers les plus talentueux de sa génération ? Il y a en France des artisans magiques qui n'attendent qu'un signe pour venir faire découvrir leurs productions dans des lieux aussi élégants que le Kong.

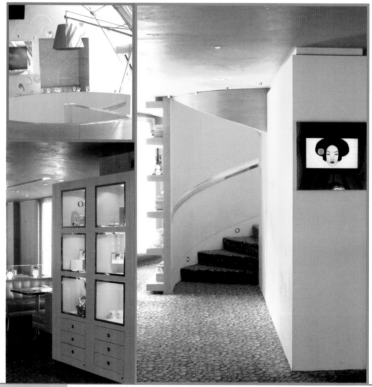

LE PAIN QUOTIDIEN
▶ TRADITIONNEL

> *18, place du Marché-Saint-Honoré, 1er*
> *M° Pyramides (lignes 7, 14)*
> *tél. 01 42 96 31 70*
> *www.lepainquotidien.com*
> *BRUNCH : tous les jours, 7h-11h du lundi au vendredi,*
> *7h-17h30, samedi et dimanche*
> *PRIX : 19,50 €*
> *RÉSERVATION : non*

ACCUEIL ET SERVICE	▶ 13	
CADRE ET ANIMATION	▶ 14	
BRUNCH	▶ 14	

Un panier garni

Est-il encore nécessaire de présenter cette chaîne désormais bien installée et qui commence à séduire quelques grandes villes de province ? Y a-t-il quelque chose à redire sur la formule brunch ? Non, rien de précis. Nous savons tous qu'il est impossible de réserver et qu'il va falloir se pointer très tôt sous peine de faire le pied de grue sur le trottoir.

Mais nous savons aussi que notre patience sera récompensée par un panier garni de croissants ou de pains au chocolat, de petits pains au levain ou au froment sur lesquels on tartinera avec allégresse des confitures, du miel, du sirop de Liège et des pâtes au chocolat. Nous accompagnerons le tout d'oranges pressées ou de jus de pomme, nous boirons à volonté du café ou du chocolat en attendant l'œuf à la coque et la salade Antoine (saumon fumé, charcuterie, fromage) que l'on aura pris le temps de regarder dans l'assiette du voisin que l'on ne connaît pas et avec lequel, parce que c'est le principe de la table d'hôtes, on essaiera d'entamer une conversation.

Un yaourt bio plus tard, nous cèderons notre place par respect pour ceux qui attendent dehors, les yeux révulsés par toutes ces gourmandises qui leur passent sous le nez.

LE PÈRE FOUETTARD

► TRADITIONNEL

9, rue Pierre-Lescot, 1ᵉʳ
M° Les Halles (ligne 4)
tél. 01 42 33 74 17
BRUNCH : samedi, dimanche et jours fériés, 11h30-16h30
PRIX : 17,50€
RÉSERVATION : non

ACCUEIL ET SERVICE	► 15	
CADRE ET ANIMATION	► 13	
BRUNCH	► 13	

Simple et efficace

Simple, efficace et sans surprise, telle pourrait être la manière de résumer le brunch du Père Fouettard. À deux enjambées du Forum des Halles, cette adresse ne désemplit pas. Il faut parfois s'armer de patience pour obtenir une table mais le personnel, monté sur des ressorts, sait vous faire patienter en distillant régulièrement une boutade qui permet de redonner le sourire à ceux qui seraient en train de le perdre. Une fois à table, entre un jeune couple amoureux depuis la veille et une horde de jeunes touristes irlandaises, on suit l'ordre établi par la maison.

Tout commence par un choix de jus de fruits pressés (orange, citron ou pamplemousse), puis thé ou café avant l'arrivée du saumon fumé escorté par ses toasts. Les œufs brouillés au fromage et au bacon arrivent dans la foulée suivis de pommes sautées et d'un avocat à la tomate. Une salade de fruits plus tard, on se dit qu'effectivement le Père Fouettard est simple, efficace et sans surprise mais nous ajouterons qu'il sait aussi que nos heures de repos sont comptées et qu'il est inutile de nous obliger à rester à table de longues heures. Merci mon Père !

RAGUENEAU
► TRADITIONNEL

202, rue Saint-Honoré, 1ᵉʳ
M° Palais Royal (lignes 1, 7)
tél. 01 42 60 29 20
BRUNCH : dimanche, 11h-18h
PRIX : 19 et 24€
RÉSERVATION : non

ACCUEIL ET SERVICE	► 12	
CADRE ET ANIMATION	► 12	
BRUNCH	► 10	

À toute heure

Cet établissement sur deux niveaux permet en semaine de se restaurer correctement à toute heure selon sa faim ou son budget. On s'y rend pour une simple tarte salée suivie d'une gourmandise sucrée, ou, à l'heure du thé, pour une boisson chaude et un gâteau. Le week-end, le principe reste le même sauf que la formule brunch vient s'ajouter à la longue liste des propositions gourmandes.

Excepté pour la terrasse baignée par le soleil jusqu'à 13 heures, le brunch n'a que peu d'intérêt. Le jus d'orange provient d'un industriel quelconque qui a sans doute mis la pulpe de côté, les mini-viennoiseries sont comptées, quant à la tarte du jour prévue dans la formule du brunch, il n'y en a pas le dimanche... jour du brunch. En lieu et place de cette tarte qui n'existe pas, nous avons eu droit à une tartine composée de vagues morceaux de poulet servis sur un caviar d'aubergines. Un plat a priori préparé depuis de longues heures. Avachie dans l'assiette, cette tartine était plus fatiguée que tous les clients réunis. Malheureusement, la tarte aux pommes proposée en dessert ne releva pas le niveau.

LE RITZ ★★

► LUXE

15, place Vendôme, 1ᵉʳ
M° Tuileries (ligne 1)
tél. 01 43 16 30 60
www.ritzparis.com
BRUNCH : dimanche sauf juillet et août, 11h-15h
PRIX : 35€ (enfants de moins de 12 ans), 68€
RÉSERVATION : conseillée

ACCUEIL ET SERVICE	► 15
CADRE ET ANIMATION	► 17
BRUNCH	► 15

Au royaume des célébrités

Est-il vraiment nécessaire de vous présenter le Ritz ? Ce palace de la place Vendôme que l'on doit à César Ritz a accueilli toutes les têtes couronnées de ce monde, les stars du cinéma, les mannequins, les plus grands rockeurs, les fortunes du monde des affaires mais aussi vous et moi pour une nuit avec votre douce, un verre au Bar Hemingway, un dîner à l'Espadon ou pour le brunch dominical au Bar Piscine. Situé en mezzanine, celui-ci surplombe la piscine dans laquelle vous pouvez éventuellement aller barboter à condition de vous acquitter de la somme de 150€ pour la journée. Si cette somme vous effraie, ce que nous concevons, vous devrez vous contenter de regarder les clients de l'hôtel qui, eux, se baignent et du décor de thermes gréco-romains qui vaut, de toute façon, à lui seul le détour. Une fois les yeux ébahis, il reste à épater les papilles.

La brigade du Ritz pilotée par Michel Roth y arrive allègrement avec ce buffet devant lequel vous hésiterez entre le saumon fumé, les potages froids, les poissons marinés, les plats de viande, les salades et les charcuteries. Vous aurez bien entendu au préalable savouré les jus de fruits et surtout les jus de légumes, les boissons chaudes et les viennoiseries. Si vous avez encore une petite faim, il vous reste les fromages, les desserts et les salades de fruits. Ça, c'est palace !

À l'heure où nous bouclons ce guide, nous apprenons que le brunch est désormais servi au salon César Ritz avec vue sur un jardin verdoyant et qu'un espace jeux a été ouvert pour les enfants.

SCOOP

▶ **AMÉRICAIN**

154, rue Saint-Honoré, 1ᵉʳ
M° Louvre-Rivoli (ligne 1)
tél. 01 42 60 31 84
www.scoopcafe.com
BRUNCH : dimanche, 12h-16h
PRIX : 12€, 20 et 23€
RÉSERVATION : conseillée

ACCUEIL ET SERVICE	▶ 14
CADRE ET ANIMATION	▶ 15
BRUNCH	▶ 14

Le paradis de la crème glacée

Difficile de ranger ce Scoop dans une catégorie qui lui sied. Lieu de rendez-vous à l'heure du déjeuner pour partager salades, soupes ou autres tartes salées, ce petit établissement est aussi une excellente adresse pour grignoter des cookies, un tiramisu, un cheesecake, des muffins ou encore des scones, le tout autour d'un chocolat chaud à la cannelle, un café mexicain ou un milk-shake à la banane. Mais surtout, outre le brunch, on y vient car l'endroit est le paradis de la crème glacée préparée et turbinée sur place et présentée dans de la vaisselle transparente.

Si le rez-de-chaussée avec son bar tout en longueur a son charme, c'est au premier étage que nous vous invitons à vous rendre pour profiter d'un brunch aussi exquis que copieux. Murs en pierres apparentes, fauteuils en cuir rouge, petites tables basses, on se croirait dans le salon d'un couple d'amis. Pour le brunch, la maison propose une base commune (boisson chaude, fruits frais pressés, œufs brouillés, légumes et sésame noir, pommes de terre rissolées, salade de mâche et panier de pain frais accompagné de beurre et de confiture) à laquelle vous ajoutez trois ou cinq produits salés ou sucrés parmi les propositions suivantes : saumon, jambon, ratatouille, bacon grillé, Granola, yaourt nature, cookies, fruits frais… C'est parfaitement pensé, chacun compose en fonction de son humeur, de son envie ou, tout simplement, de son budget.

NOMAD'S

12/14, rue du Marché-Saint-Honoré, 1er
M° Pyramides (lignes 7, 14)
tél. 01 42 60 47 21
PRIX : 25 €

BARLOTTI

35, rue du Marché-Saint-Honoré, 1er
M° Pyramides (lignes 7, 14)
tél. 01 44 86 97 97
PRIX : 28,50€

PAR ISABEL BRANCQ-LEPAGE

STYLISTE CULINAIRE
AUTEUR DE NOMBREUX OUVRAGES

CAKE AUX NOISETTES
ET LARDONS

Pour 4 personnes
Préparation : 15 min
Cuisson : 45 min

- 3 œufs
- 150 g de farine
- 1 sachet de levure chimique
- 10 cl de lait
- 10 cl d'huile de tournesol
- 120 g de Comté ou Beaufort râpé
- 2 cuillerées à soupe de noisettes
- 100 g de lardons

- Préchauffez le four th 6/180°C.

La préparation
- Cassez les œufs dans un saladier, puis battez-les en omelette. Ajoutez en continuant de remuer l'huile et le lait, puis la levure mélangée à la farine. Mélangez le tout énergiquement et aidez-vous d'un batteur électrique. Ajoutez pour finir le fromage râpé.
- Cassez grossièrement les noisettes en les enveloppant dans une serviette. Roulez dessus à l'aide d'un rouleau à pâtisserie. Coupez les lardons en petits dés. Ajoutez à la pâte à cake tous ces ingrédients et mélangez.

La cuisson
- Versez la préparation dans un moule à cake beurré. Laissez cuire au four 45 min.
- Laissez refroidir avant de le démouler.

UN PEU DE TENUE
À L'HEURE DU BRUNCH

La tribu Starlette-glamourama

LUI : Jean « feu de plancher » rebrodé et déchiré,
patte d'éph'. Veste impression python. Chemise largement
ouverte sur poils dans lesquels s'agrippe une chaîne en or
aux dents de requin. Boots en lézard et lunettes Gucci.

ELLE : Total look Roberto Cavalli ou Dolce Gabanna
avec beaucoup de diamants aux poignets, aux oreilles,
sur les doigts et même en piercing sur le nombril.
Escarpins en croco. Sac Dior clinquant.

EN LAISSE : Yorkshire.

SOUS LE COUDE : *Gala* et *Voici*.

VOITURE : La nouvelle Austin.

ENTENDU : « *Miami à Noël, Saint-Trop l'été avec une coupure
en hiver à Gstaad. C'est suuuuublime !* »

La famille Cyrillus

LUI : Chemise bleue col blanc. Cachemire sur les épaules
avec blazer marine dessous. Pantalon gris. Mocassin marron
à glands en daim. Et si besoin veste matelassée de chasse.

ELLE : Manteau en tweed pardessus un tailleur anthracite,
chemise à col relevé, collier de perles, carré Hermès,
trotteurs et bague de fiançailles.

EN LAISSE : Labrador.

SOUS LE COUDE : *La Croix* et *Madame Figaro*.

VOITURE : Ausi A3.

ENTENDU : « *J'adore les Portes mais sans ta mère !!* »

Les Early adopters

LUI : Jean Dior Homme par Hedi Slimane. Stone whash
et apprêt glacé. Chemise à mini col blanc.
Veste de smoking très ajustée, richelieu en cuir noir.

ELLE : Veste Saint Laurent en daim, petit buste de couleur marron
glacé. Tee-shirt blanc petit bateau rentré dans une jupe boule
imprimée chocolat. Botte cavalière et sac Balenciaga.

EN LAISSE : Bigle.

SOUS LE COUDE : *Vogue* et *I.D.*

VOITURE : Smart.

ENTENDU : « *Encore le Mathis ! Un peu over, non ? O.K. !
Mais après on file au Baron pour un after.* »

Les post Bobo

LUI : Veste Agnès B noire, vieux pull « déglingue » à col camionneur,
chemise en lin blanche Hartford, baskets Stansmith et jean noir brut.

ELLE : Veste militaire kaki, grande chemise blanche à pli religieuse,
Levis rapiécé et *used*, santiags et sautoir à gris-gris ethniques,
sac fourré tout brodé « Jamin Puech » style retour des Indes.

EN LAISSE : Bâtard.

SOUS LE COUDE : *Le Monde* et *Wallpaper*.

VOITURE : Scooter.

ENTENDU : « *Samedi, on fait un tour au vernissage de la rue Louise
Weiss et dimanche on brunch chez Rose Bakery. Trop bien !* »

Les Pacsés

LUI : sweat-shirt à capuche blanche, veste noire,
jean détruit troué délavé, converse blanche.

LUI : veste saharienne en daim étriquée chocolat,
chemise dans les mêmes tons, pantalon fuselé du bas, boots Prada.

EN LAISSE : Jack Russel.

SOUS LE COUDE : *Têtu* et *Libé*.

VOITURE : Golf.

ENTENDU : « *T'es sûr que la mère porteuse est bien ?* »

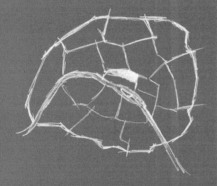

ARRONDISSEMENT **2**

À PRIORI THÉ ★

► TRADITIONNEL

35-37, galerie Vivienne, 2ᵉ
M° Bourse (ligne 3)
tél. 01 42 97 48 75
BRUNCH : samedi et dimanche, 12h-16h
PRIX : 26€
RÉSERVATION : conseillée

ACCUEIL ET SERVICE	► 13
CADRE ET ANIMATION	► 14
BRUNCH	► 15

Incontournable

L'adresse, réputée, fait salle comble tous les week-ends. À intervalles réguliers, la porte s'ouvre et à la question : « *Avez-vous de la place ?* », la réponse est invariablement : « *Désolé, nous sommes complets* ». Excepté l'accueil jugé un peu trop froid, tous les ingrédients d'un brunch réussi sont réunis, à commencer par un emplacement de rêve. Niché dans la galerie Vivienne où se côtoient d'élégantes boutiques, ce restaurant-salon de thé possède dans le passage une petite terrasse agréable même en hiver.

Côté gourmandises, la fraîcheur est sans conteste le maître mot de la maison et les jus de fruits pressés (orange, pamplemousse ou pomme) en sont la plus belle preuve tout comme les petits scones, les muffins et le pain de maïs sur lesquels on étale avec plaisir les confitures proposées.

Après la coupe de fromage blanc aux fruits secs et au sirop d'érable et avant un magnifique choix de desserts qui trônent sur un meuble, on se régale d'un plat du jour comme un Welsh (œufs pochés, sauce au cheddar sur scone à l'oignon avec jambon braisé et salade) ou un Odessa (chausson à la russe farci d'épinards, saumon, œuf dur et riz parfumé à l'aneth). Une adresse incontournable, aussi chaleureuse que délicieuse.

AMERICAN DREAM
► AMÉRICAIN

21, rue Daunou, 2ᵉ
M° Opéra (lignes 3, 7, 8)
tél. 01 42 60 99 89
BRUNCH : samedi et dimanche, 11h-16h
PRIX : 14€, 15 et 16€
RÉSERVATION : non

ACCUEIL ET SERVICE	► 10
CADRE ET ANIMATION	► 12
BRUNCH	► 6

Aveuglés par les néons rouges

Difficile de manquer la gigantesque façade noire de cet établissement. Vous l'avez vue ? Inutile d'entrer, nous l'avons fait et testé pour vous, vous venez d'économiser 15€ et un mal de ventre. Un serveur qui vous met entre les mains une carte grande comme *Le Parisien* ou *Libération* avec pas moins de dix-huit pages et une quinzaine de propositions de plats par double page, dont la plupart sont photographiés, fuyez, ça ne peut pas être bon. Ici, le chef sait tout faire : des pizzas, des omelettes, des salades, du chili, des hamburgers, des bagels, des pâtes, des plats mexicains, des soupes et des plats de poisson.

Aveuglés par les néons rouges et le décor kitsch, nous avons tenté le « Breakfast Sunday ». Un mélange de jambon, d'œufs, de pommes de terre râpées, de toasts, de beurre et de sirop. Sans intérêt, pas plus que ne le sont le « Breakfast Sandwich » (assortiment de quatre petits sandwichs au jambon, bacon, œuf frit, bœuf haché, fromage et cheddar) ou le « Breakfast Foods » (jambon, œuf, pancake, bacon, pommes de terre râpées). Comment se fait-il qu'il y ait encore des clients dans ce type d'établissement ?

L'ARBRE À CANNELLE ★

► À LA CARTE

57, passage des Panoramas, 2ᵉ
M° Grands Boulevards (lignes 8, 9)
tél. 01 45 08 55 87
BRUNCH : du lundi au samedi, 11h30-18h30
PRIX : de 15 à 25 €
RÉSERVATION : non

ACCUEIL ET SERVICE	► 13	
CADRE ET ANIMATION	► 15	
BRUNCH	► 14	

Au passage, arrêtez-vous...

Construit en 1800 puis détruit en 1831, le passage des Panoramas renaît quelques années plus tard sous la forme qu'on lui connaît aujourd'hui. C'est un lieu magnifique qui abrite de très jolies boutiques pour collectionneurs de timbres ou de cartes postales, des restaurants, des cafés et un exquis salon de thé qui, malheureusement pour nous, ferme désormais le dimanche, nous privant ainsi d'un brunch que nous adorions. Cependant, impossible de ne pas mentionner cet Arbre à Cannelle car en piochant dans la carte, il est tout à fait envisageable de bruncher même s'il n'y a pas officiellement de formule.

Cet instant gourmand que nous apprécions peut débuter par une orange pressée (3,35 €), à moins que vous ne préfériez le cocktail mangue-ananas ou mangue-citron (4,25 €). Ensuite, après un thé choisi parmi quatorze variétés différentes, pourquoi pas des œufs cocotte aux herbes, des œufs brouillés au jambon de Parme ou au saumon ou encore des œufs à la coque servis avec des mouillettes au roquefort (6,70 €). On se lève quelques instants, histoire d'aller jeter un œil sur la vitrine dans laquelle sont exposées les tartes salées du jour. Fraîcheur garantie. Le choix est cornélien : provençale, maraîchère, fromagère ou au cheddar ? Même problème pour la tarte sucrée, quoique celle à la clémentine et au chocolat (proposée en saison) reste un must qui égale le brownie et le crumble aux pommes. La magie du passage additionnée au silence et à la discrétion du personnel font de l'Arbre à Cannelle une adresse merveilleuse.

CAFÉ ÉTIENNE MARCEL
► TRADITIONNEL

34, rue Étienne-Marcel, 2ᵉ
M° Étienne Marcel (ligne 4)
tél. 01 45 08 01 03
BRUNCH : tous les jours, 11h-17h
PRIX : 15 et 22€
RÉSERVATION : conseillée

ACCUEIL ET SERVICE	► 14	
CADRE ET ANIMATION	► 11	
BRUNCH	► 11	

Le bal des serveurs

Bruncher en semaine dans un établissement qui fait restaurant n'est finalement pas une excellente idée. En effet, vous sentez assez rapidement la pression du service qui aimerait dresser votre table pour le déjeuner. Ça court dans tous les sens, avec dans un premier temps les couverts et les serviettes. Quelques minutes plus tard, le bal des serveurs reprend avec cette fois la disposition sur chaque table des menus, du poivre, du sel et enfin… des verres.

Au milieu de cette agitation, vous fulminez en apprenant que la formule brunch ne comprend pas de boisson chaude, de fruits pressés, de viennoiseries, de ficelle, de beurre et de confiture et que cette joyeuse ribambelle de gourmandises matinales vous est proposée pour la modique somme de 11€ qu'il faut donc ajouter à l'assiette dite « brunch » qui coûte la bagatelle de 15€, soit un « vrai brunch » pour 26€. Une assiette certes copieuse mais scandaleusement chère pour son contenu (œufs brouillés, galette de pommes de terre, bacon et saucisse).

Vous vous consolez en lisant la presse du jour mise à disposition, seul point positif de cet établissement qui vieillit mal avec ses sièges blancs qui ne le sont plus tout à fait et ses coussins rouges qui ne jouent plus complètement leur rôle.

LE CARDINAL
► **TRADITIONNEL**

1, boulevard des Italiens, 2ᵉ
M° Richelieu-Drouot (lignes 8, 9)
tél. 01 42 96 61 20
BRUNCH : tous les jours, 8h-16h
PRIX : 13,80€
RÉSERVATION : non

ACCUEIL ET SERVICE	► 13	
CADRE ET ANIMATION	► 14	
BRUNCH	► 13	

Correct et copieux

Voilà l'adresse qu'un grand nombre de patrons d'établissements qui proposent le brunch devraient venir voir pour comprendre ce qu'est un rapport qualité-prix correct. 13,80 € pour une boisson chaude, deux tartines grillées, deux viennoiseries, un bol de céréales, un jus d'orange, des confitures, du miel et des œufs au plat au bacon ou des œufs brouillés au saumon ou des œufs cocotte grand-mère ou une omelette tomates et pommes de terre, avouez qu'il n'y a pas de comparaison possible avec d'autres lieux qui présentent la même formule pour un prix qui frôle ou dépasse les 20 €.

Alors certes, le Cardinal a encore quelques lacunes… En effet, le jour de notre visite, le jus d'orange servi avait perdu sa pulpe, le beurre annoncé avait pris la poudre d'escampette, les abeilles n'avaient pas trouvé de fleurs à butiner pour fournir le miel et les tartines avaient décidé de ne pas passer sous le gril, mais pour le reste, l'ensemble était correct et copieux, notamment l'omelette aux tomates et aux pommes de terre servie avec de la salade sur une assiette carrée en verre très tendance.

Quant au service, il est élégant, la maison a de l'allure, les tables sont bien dressées. Une agréable surprise pour une brasserie.

LE DÉNICHEUR
▶ TRADITIONNEL

4, rue Tiquetonne, 2ᵉ
Mº Étienne Marcel (ligne 4)
tél. 01 42 21 31 01
BRUNCH : samedi et dimanche, 12h-16h
PRIX : 15€
RÉSERVATION : indispensable

ACCUEIL ET SERVICE	▶ 14	
CADRE ET ANIMATION	▶ 14	
BRUNCH	▶ 13	

Dans l'antre de l'ours ronfleur

Le Dénicheur serait-il le plus petit restaurant de Paris ? S'il n'occupe pas la première place de ce classement, il est sans doute au minimum dans le top 10, d'où une obligation de réserver si vous voulez profiter du brunch mitonné par Philippe et servi par Ludovic que tout le monde appelle Lulu.

Pourquoi ce nom de Dénicheur me direz-vous ? Jetez un œil à la décoration et vous comprendrez. Philippe a composé son établissement avec tout ce qu'il a pu dénicher à droite et à gauche. Les tables et les chaises sont dépareillées, les couleurs aussi différentes les unes que les autres se côtoient comme elles peuvent, et le lieu est envahi de multiples objets divers et variés comme cette collection de globes terrestres accrochés au plafond. Et au milieu de tout ça, Bruno l'ours en peluche, mascotte de la maison qu'il est de bon goût d'aller saluer quand on arrive. Dans l'assiette, un brunch très simple mais réussi.

Le thé (Mariage Frères) et son cortège de tartines toastées précèdent les traditionnels jus de fruits (orange et pamplemousse). La suite est classique, œufs brouillés nature, au saumon ou aux lardons puis assiette de charcuterie et de fromage et, enfin, fromage blanc au miel. On s'y sent bien, on prend son temps, on écoute Philippe nous raconter la vie de Bruno... D'après lui, cet ours en peluche ronflerait la nuit ! On a des doutes mais on le laisse dire.

THE FROG AND ROSBIF

► **ANGLAIS**

116, rue Saint-Denis, 2ᵉ
M° Étienne Marcel (ligne 4)
tél. 01 42 36 34 73
www.frogpubs.com
BRUNCH : samedi et dimanche, 12h-16h
PRIX : 14€
RÉSERVATION : non

ACCUEIL ET SERVICE	► 13	
CADRE ET ANIMATION	► 14	
BRUNCH	► 12	

L'impression d'être à Londres

Il a fière allure ce beau pub anglais avec son élégante façade vert... anglais. Contrairement à beaucoup de pubs, ce dernier ne sent pas la cigarette et la bière au petit matin et c'est donc avec plaisir que l'on pousse la porte pour dévorer un breakfast. Entre nous, si vous oubliez que vous êtes à deux pas du quartier Montorgueil, vous aurez l'impression d'être à Londres ou à Liverpool.

Le service est assuré par une joyeuse bande de jeunes qui cherchent encore à comprendre la langue de Molière mais, globalement, pour un brunch, tout le monde finit pas se comprendre, gestes à l'appui si nécessaire. Et puis eggs, bacon, baked beans, tea, toasts, coleslaw et pancakes sont des mots que nous comprenons tous, même si les cours d'anglais remontent à quelques années. Quand on vous dit que l'on se croit vraiment en Angleterre, ce n'est pas que pour la décoration, c'est aussi pour le contenu de l'assiette.

Ce n'est évidemment pas le meilleur brunch de la capitale mais il a une saveur particulière qui fait qu'il est finalement appréciable de le goûter au moins une fois dans l'année.

KITTY O'SHEAS
▶ **IRLANDAIS**

10, rue des Capucines, 2ᵉ
M° Opéra (lignes 3, 7, 8)
tél. 01 40 15 00 30
www.kittyosheas.com
BRUNCH : dimanche, 12h-18h
PRIX : 9,50€
RÉSERVATION : non

ACCUEIL ET SERVICE	▶ 13
CADRE ET ANIMATION	▶ 13
BRUNCH	▶ 11

À la mode irlandaise

Vous êtes ici en terre irlandaise et vous le comprenez vite en apercevant le drapeau qui trône derrière le comptoir. Ce pub, dont la notoriété n'est plus à faire, est le point de ralliement des Irlandais de Paris, des amateurs de bière et des passionnés de sport qui ne se lassent pas de scruter les écrans sur lesquels passent tous les grands événements sportifs avec, comme il se doit, une large place offerte aux matchs de rugby… même quand la France joue. Si les odeurs de bière et de tabac de la soirée de la veille sont parfois persistantes, le Kitty O'Sheas, avec son bar en bois, ses tables hautes, son parquet foncé et ses murs verts, reste un lieu de rendez-vous pour bruncher à la mode irlandaise.

Au programme : thé, café, jus d'orange, saucisses et black pudding qui, contrairement à ce que vous pourriez imaginer, n'est pas du pudding mais du boudin noir. Existe aussi en white pudding. Pour 9,50€, il n'y pas de quoi se priver et en plus, les journaux anglais comme le *Daily Express* ou le *Daily Star*, pour ceux qui parlent couramment l'anglais et qui aimeraient prendre des nouvelles des Britanniques, sont à disposition.

LE LOUP BLANC
► COSMOPOLITE

42, rue Tiquetonne, 2ᵉ
M° Étienne Marcel (ligne 4)
tél. 01 40 13 08 35
BRUNCH : *dimanche, 11h-16h30*
PRIX : *18€*
RÉSERVATION : *conseillée*

ACCUEIL ET SERVICE	► 14
CADRE ET ANIMATION	► 13
BRUNCH	► 14

Pour le calme olympien

Tous les dimanches, dès l'ouverture, ce lieu agréablement décoré est pris d'assaut. Malgré cela, le personnel reste d'une amabilité et d'un calme à toute épreuve. Sans doute est-ce dû au fait que la clientèle de quartier l'est tout autant, ce qui n'est franchement pas le cas partout. Il manque le sucre, le serveur vient de faire tomber une cuillère, il n'y a pas assez de viennoiseries pour toute la tablée… peu importe, tout le monde prend cela avec le sourire, c'est dimanche, hier soir c'était fête, pourquoi bougonner et se prendre la tête ?

Nous pourrions cependant marmonner devant les confitures industrielles proposées mais quand on sait que les mini-viennoiseries et le pain sont à volonté, on finit par rentrer dans le rang. On se met même à tartiner allègrement ce produit de grande surface avant d'attaquer la salade du moment et les œufs brouillés et de terminer par une salade de fruits et un yaourt maison. Mais alors pourquoi proposer un yaourt maison, ce qui est rare, et des confitures industrielles ? Ne me dites pas qu'il n'y a pas une épicerie fine digne de ce nom dans le quartier capable de fournir de succulentes confitures.

MI CAYITO
► CUBAIN

10, rue Marie-Stuart, 2e
M° Étienne Marcel (ligne 4)
tél. 01 42 21 98 86
www.mi-cayito.com
BRUNCH : dimanche, 12h-16h30
PRIX : 15€, 19 et 24€
RÉSERVATION : conseillée

ACCUEIL ET SERVICE	► 13	
CADRE ET ANIMATION	► 13	
BRUNCH	► 14	

Exotique

Une jolie adresse pour sortir des sentiers battus et éviter les traditionnels croissants, pains au chocolat et jus de pamplemousse. Mi Cayito, qui signifie « ma petite île », est un restaurant qui fête la cuisine de Cuba même le dimanche au saut du lit, et où, comme son nom le laisse présager, l'exotisme est au rendez-vous.

À commencer par le jus de fruits. En effet, si l'incontournable jus d'orange est présent sur la liste des propositions, il est rapidement écarté au profit d'un jus de goyave, de mangue ou de banane. De même, les viennoiseries à la française s'éclipsent pour laisser la place à un assortiment de cakes de manioc à la noix de coco, olives et raisins secs. Quant aux confitures (de fraises, d'abricots et de framboises), elles prennent la poudre d'escampette face à une savoureuse concurrence : tomates vertes, carottes et papayes. Seul point commun avec un brunch traditionnel, les œufs. Chez Mi Cayito, ils sont brouillés au fromage ou en omelette aux herbes fraîches.

La suite est tout aussi exotique pour ceux qui optent pour le brunch à 24 € et, soit dit en passant, ne pas le faire serait une erreur. Galettes de patates douces et ananas confit accompagnent une brochette de poulet caramélisé au miel : l'explosion de saveurs est garantie. Ça réveille les palais les plus endormis. Puis, c'est l'heure d'ouvrir le petit pot de yaourt à la vanille qui patiente depuis le début du brunch, mais n'oubliez pas qu'il vous reste tout de même un dessert à choisir dans la carte.

Notre coup de cœur : le feuilleté chaud de goyave et sa glace melon. Un brunch singulièrement différent.

O'SULLIVANS

▶ **IRLANDAIS**

1, boulevard Montmartre, 2ᵉ
M° Grands Boulevards (lignes 8, 9)
tél. 01 40 26 73 41
www.osullivans-pubs.com
BRUNCH : dimanche, 12h-19h
PRIX : 12€
RÉSERVATION : non

ACCUEIL ET SERVICE	▶ 13	
CADRE ET ANIMATION	▶ 13	
BRUNCH	▶ 12	

C'est bon comme là-bas

O'Sullivans est un grand pub irlandais sur deux étages qui dispose d'une terrasse digne de ce nom. Malheureusement, pour nos oreilles, elle donne sur le boulevard Montmartre, somme toute assez fréquenté, même le dimanche. Si vous êtes nostalgique des petits déjeuners irlandais qui vous rappellent l'année où vous aviez un correspondant à Dublin, glissez-vous dans ce pub pour le « Sunday Irish Brunch ».

Le temps que le cuisinier vous prépare cette copieuse assiette, optez pour une boisson car la tradition dans les pubs est de ne proposer qu'une formule ne comprenant pas les liquides. Une fois servi, à vous d'attaquer le bacon, la saucisse, le boudin blanc et noir, les tomates, les champignons, les haricots rouges, les œufs, les frites et le pain grillé. C'est classique, c'est comme là-bas sauf que les serveurs ne sont pas roux et qu'ils n'ont pas de taches de rousseur.

LE PAIN QUOTIDIEN
▶ TRADITIONNEL

33, rue Vivienne, 2ᵉ
M° Bourse (ligne 3)
tél. 01 42 36 76 02
www.lepainquotidien.com
BRUNCH : samedi, dimanche et jours fériés, 7h-17h
PRIX : 19,50€
RÉSERVATION : non

ACCUEIL ET SERVICE	▶ 13
CADRE ET ANIMATION	▶ 14
BRUNCH	▶ 14

En toute simplicité

Qu'est-ce qui différencie un Pain Quotidien d'un autre Pain Quotidien ? Le professionnalisme du personnel. Ici, l'amateurisme est de rigueur et si parfois ça agace, ces jeunes sont si gentils et souriants que l'on finit par oublier que l'on a réclamé par deux fois du café et du beurre et que l'addition a mis un certain temps avant d'atterrir sur notre table pour finalement ne pas être la nôtre.

Pour le reste, cet établissement est plus agréable que les autres car plus clair et quand le soleil pointe le bout de son nez, le directeur ouvre les baies vitrées ce qui donne encore un peu plus de charme à la maison. Jus d'orange, œufs à la coque, croissants, tartines, confitures et pâtes à tartiner… tout ce petit monde est au rendez-vous sur la grande table d'hôtes pour douze ou sur les quelques tables disposées sur la petite terrasse. C'est connu, on ne vient pas au Pain Quotidien pour danser sur les tables mais pour se régaler d'une formule gourmande qui fonctionne mais qui ne surprend plus personne.

PARK HYATT PARIS-VENDÔME ★★

► LUXE

5, rue de la Paix, 2ᵉ
M° Opéra (lignes 3, 7, 8)
tél. 01 58 71 12 34
www.paris.vendome.hyatt.com
BRUNCH : samedi, dimanche et jours fériés, 11h-15h
PRIX : 66€
RÉSERVATION : conseillée

ACCUEIL ET SERVICE	► 16
CADRE ET ANIMATION	► 15
BRUNCH	► 15

Ne passez pas par la case départ...

Si vous avez passé des dimanches entiers à jouer au Monopoly, vous vous souvenez forcément de cette fameuse rue de la Paix. Fermez la boîte et venez rejoindre le Park Hyatt, un palace dont la décoration intérieure a été confiée à l'architecte américain Ed Tuttle, spécialiste des hôtels de rêve. Luxueux à souhait – les matériaux les plus nobles ont été utilisés –, le Park Hyatt abrite également deux restaurants, Le Grill et les Orchidées, dont les cuisines ont été confiées au Lyonnais Christophe David, formé par les plus grands. Dès qu'il fait beau et chaud, on se rapproche de la terrasse, dès que les températures baissent, on rejoint les tables dressées sous la verrière ou non loin de la cheminée. Vous êtes aux Orchidées, au cœur de l'hôtel et c'est ici que le « Brunch à Bulles » tient toutes ses promesses.

Comme son nom le laisse à penser, c'est avec une coupe de champagne que l'on titille nos papilles déjà séduites par le buffet parisien sur lequel se tiennent en rangs serrés, les boissons chaudes, les jus de fruits (orange, pamplemousse, pomme ou mangue), les viennoiseries, le pain, les excellentes confitures « Potager Sucré », le miel et les marmelades du chef. Céréales, fruits de saison et yaourts complètent cette appétissante liste. Mais ce n'est pas tout. Il vous reste à faire un choix pour le plat principal entre une dizaine de propositions qui vont du tartare de filet de bœuf et ses pommes frites au suprême de volaille fermière des Landes et son croustillant de poitrine fumée en passant par les langoustines, la salade Caesar et le sashimi de saumon fumé d'Écosse. Mais notre coup de cœur reste incontestablement les œufs bio en omelette à la truffe de Bourgogne. Les parfums et saveurs de ce plat sont envoûtants. Si vous avez encore faim, il vous reste le dessert à choisir sur le chariot mais si vous avez abusé du buffet, vous devriez dire stop.

ET AUSSI :

LE PAIN QUOTIDIEN

2, rue des Petits Carreaux, 2ᵉ
M° Sentier (ligne 3)
tél. 01 42 21 14 50
www.lepainquotidien.com
PRIX : 19,50 €

ŒUFS BROUILLÉS, SAUMON MARINÉ SAUCE À L'ANETH

**Pour 8 personnes
Préparation : 15 min
Marinade : 24 h
Cuisson : 5 min**

Pour le saumon mariné
- 1 filet de saumon frais de 600 g
- 240 g de sel fin
- 180 g de sucre semoule
- 20 g de poivre mignonnette
- 1 botte d'aneth

Pour les œufs brouillés
- 16 œufs
- 5 cl de lait
- 5 cl de crème fluide
- 1 botte de ciboulette
- sel fin
- poivre du moulin
- 50 g de beurre doux

Pour la sauce
- 1 œuf
- 1 cuillère à soupe de moutarde forte
- 2 cuillères à soupe de moutarde « Savora »
- 4 dl d'huile de tournesol
- 1 botte d'aneth
- sel fin

PAR **JEAN CHRISTIANSEN**
CHEF DE CUISINE À **L'ATELIER BERGER**

Préparation du saumon

Enlevez les arêtes sur le filet de saumon. Lavez et ciselez l'aneth. Dans un saladier, mélangez le sucre, le sel et poivre mignonnette. Dans un plat, versez 1/3 de ce mélange au fond du plat puis posez dessus le filet de saumon. Versez ensuite sur le filet de saumon le reste du mélange ainsi que l'aneth et laissez mariner 24 h au frais. Enlevez la marinade, rincez le saumon à l'eau froide, essuyez-le et coupez-le en tranches fines.

Préparation des œufs brouillés

Cassez les œufs et versez-les dans un bol. Ciselez finement la ciboulette. Ajoutez le lait puis la ciboulette ciselée et mélangez le tout légèrement à la fourchette. Faites fondre les 50 g de beurre doux dans une poêle, versez les œufs dessus. Salez et poivrez et laissez cuire à chaleur moyenne jusqu'à ce que vous obteniez une cuisson ferme. Ajoutez alors la crème et débarrassez.

Préparation de la sauce

Dans un bol, versez l'œuf, les deux moutardes et incorporez l'huile tout en fouettant comme pour une mayonnaise. Ciselez l'aneth (sans les tiges) et saupoudrez-en la crème avant de la mélanger.

A votre guise, servez les œufs brouillés sur le saumon et la sauce dans un ramequin ou les œufs brouillés dans une assiette, le saumon et la sauce dans une autre.

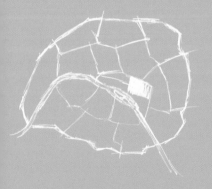

ARRONDISSEMENT 3

APPAREMMENT CAFÉ

► COSMOPOLITE

18, rue des Coutures-Saint-Gervais, 3ᵉ
M° Saint-Sébastien Froissart (ligne 8)
tél. 01 48 87 12 22
BRUNCH : dimanche, 12h30-16h30
PRIX : 15,50 et 20,50€
RÉSERVATION : conseillée

ACCUEIL ET SERVICE	► 13
CADRE ET ANIMATION	► 15
BRUNCH	► 13

Deux services en un seul

Ah, ces établissements qui ont pris la fâcheuse habitude de vouloir assurer deux services en un seul ! Un conseil, ne venez pas ici dès le début des hostilités sous peine de comprendre vers 14 heures qu'il est temps de partir. Le brunch est un moment de détente et il est difficilement appréciable de sentir que notre temps est compté. Nous aurions aimé profiter de la presse et des jeux de société mis à notre disposition mais une partie d'échecs peut parfois être longue… trop longue pour le personnel. Dommage car l'adresse est charmante et cosy : un dédale de petites salles à l'éclairage tamisé décorées avec des vieux portraits de famille et aménagées avec des fauteuils clubs, un profond canapé qui donne envie de faire la sieste et des tables rondes en bois. L'ensemble ressemble à une maison de famille transformée en restaurant.

Côté gourmandises, rien d'extraordinaire. Un brunch très classique avec son malheureux lot de confitures industrielles et ses sempiternelles bouteilles de jus de fruits. Cependant, il est agréable de pouvoir choisir sa spécialité après avoir avalé les boissons chaudes, les viennoiseries et l'œuf coque. Au choix, la « Laitière » avec une assiette de fromages, la « Paysanne » et son défilé de charcuteries et la « Haute Mer » avec saumon, tarama et blinis… après, il faut partir !

APPART'THÉ
► TRADITIONNEL

7, rue Charlot, 3ᵉ
M° Rambuteau (ligne 11)
tél. 01 42 78 43 30
BRUNCH : samedi, dimanche et jours fériés, 12h-20h
PRIX : 22€
RÉSERVATION : conseillée

ACCUEIL ET SERVICE	► **13**
CADRE ET ANIMATION	► **14**
BRUNCH	► **14**

Élégant salon de thé

S'il existe un art de vivre à la parisienne, c'est ici, dans cet élégant salon de thé, que vous le découvrirez. Installé dans une ancienne boutique du Marais, l'Appart'thé nous réconcilie avec la décoration, l'art de la table, le savoir-vivre et la politesse. Qu'il est bon de bruncher autour d'une belle table tout de blanc nappée et de déguster de savoureuses gourmandises dans de la délicate vaisselle, le tout dans un décor composé d'objets chinés, de tableaux plus ou moins modernes et de meubles de style Napoléon III.

Dans l'assiette, pas de surprise, mais du bon et du classique articulés autour d'une partie sucrée (brioche, croissant, pain, jus de fruits, thé ou café) et d'une partie salée (omelette, pâtes, quiche de légumes et saumon). Le service est si aimable et en même temps si décontracté qu'il est difficile d'en vouloir à nos hôtes de manquer un peu de créativité culinaire.

Entre nous, l'essentiel n'est pas là. Il s'agit de passer un bon moment et toutes ces petites attentions comme la corbeille de fruits ou les bonbons démontrent que vous êtes le bienvenu et que rien ni personne ne doit vous déranger. Un vrai instant de bonheur à consommer sans modération.

B.TEA'S ★

► TRADITIONNEL

78, rue Vieille-du-Temple, 3ᵉ
M° Chemin Vert (ligne 8)
tél. 01 42 74 34 65
BRUNCH : dimanche, 12h-16h
PRIX : 21,50€
RÉSERVATION : indispensable

ACCUEIL ET SERVICE	► 15
CADRE ET ANIMATION	► 14
BRUNCH	► 15

Le coup de cœur

Jusqu'en octobre 2003, nous aimions cette adresse qui s'appelait à l'époque « En Attendant Pablo », un élégant salon de thé qui proposait un brunch très prisé. La nouvelle maîtresse de maison, d'une gentillesse inouïe, a débaptisé l'endroit parce que, dit-elle : « *J'aime faire des bêtises* ». C'est incontestablement le coup de cœur de l'arrondissement : une petite maison de poupée toute blanche avec quelques pointes de couleurs pastel (vert, parme...) où seuls vingt-quatre convives peuvent prendre place en se serrant légèrement les coudes.

À droite en entrant, posés sur un meuble, de délicieux gâteaux vous mettent l'eau à la bouche, en particulier une tarte au chocolat blanc et pistache... à savourer un genou en terre. Ici, tout est fait maison, l'orange pressée, les confitures, les scones, les muffins... et tout est délicieux. Essayez le muffin rhubarbe et lavande ou le scone à la fleur d'oranger, vous m'en direz des nouvelles. La carte des thés est courte mais bien pensée et si vous hésitez, la maîtresse de maison saura vous guider comme elle le fit lors de notre passage en nous conseillant un excellent thé vert du Japon servi dans les règles de l'art. Viennent ensuite les œufs en cocotte, divins, puis l'assiette du dimanche (salade verte, pommes de terre à la menthe, deux fromages, viande rôtie et charcuterie). « *Tout est fait maison*, précise-t-elle de nouveau, *sauf les charcuteries.* » Peu importe, tout est bon. Adresse exquise qui, bien entendu, est résolument non-fumeurs. Si vous souhaitez absolument en griller une, quelques tables vous attendent sur le trottoir. S'il fait beau, le soleil sera de la partie car, l'après-midi, ses rayons viennent lécher la façade.

CAFÉ DES TECHNIQUES
► **BUFFET**

Musée des Arts et Métiers
60, rue Réaumur, 3ᵉ
M° Arts et Métiers (lignes 3, 11)
tél. 01 53 01 82 83
BRUNCH : dimanche, 11h30-14h30
PRIX : 19€
RÉSERVATION : indispensable

ACCUEIL ET SERVICE	► 13
CADRE ET ANIMATION	► 14
BRUNCH	► 9

Bruncher dans un musée, quelle belle idée ! Sur le papier oui, mais dans la réalité, la déception peut être au rendez-vous et au musée des Arts et Métiers, c'est malheureusement le cas. Première contrainte, il faut faire la queue à la caisse comme tout le monde. Or, il aurait été intelligent de prévoir une file d'attente spéciale pour les personnes souhaitant se rendre uniquement au Café des Techniques, même si l'on bénéficie dans le prix du brunch d'une entrée pour le musée. Passons. Tous ces engins qui font l'histoire des transports. Locomotives, navires, calèches, trains, vélocipèdes, solex, quadricycles de 1893, fusées…

Après cet intermède culturel, place à la gourmandise, quand bien même ici elle semble avoir déserté l'endroit. Servi dans une grande salle où trône une somptueuse maquette du paquebot France, le brunch est proposé sous forme de buffet froid avec ses avantages (l'abondance) et ses inconvénients (file d'attente, dépassements intempestifs et manque d'hygiène). Exemple, le pain proposé à la découpe n'est pas accompagné d'un torchon. Résultat, tout le monde tranche le pain en le tenant fermement avec une main graissée par les couverts touchés quelques secondes auparavant. Difficilement acceptable.

Nous retiendrons la qualité des viennoiseries, le large choix de confitures (une dizaine), le beurre d'Isigny demi-sel et la salade de fruits. Le reste n'est pas forcément très engageant, si vous arrivez vers 13 heures, attendez-vous à tomber nez à nez avec des saladiers et des plats quasiment vides. La faute en incombe sans doute aux propriétaires du Café qui ne savent pas gérer la quantité, mais aussi et surtout à ces « sans-gêne » qui pillent le buffet pour, au final, laisser au personnel le soin de débarrasser une assiette encore à moitié pleine. Sans commentaires !

L'ESTAMINET
▶ TRADITIONNEL

Marché des Enfants Rouges
39, rue de Bretagne, 3ᵉ
M° Filles du Calvaire (ligne 8)
tél. 01 42 72 34 85
BRUNCH : dimanche, 12h-16h
PRIX : 20€
RÉSERVATION : non

ACCUEIL ET SERVICE	▶ 11	
CADRE ET ANIMATION	▶ 12	
BRUNCH	▶ 10	

Simplicité et décontraction

Et dire qu'à la place du marché des Enfants Rouges créé en 1615 et inscrit à l'inventaire des Monuments historiques depuis 1982, on a failli avoir un parking. Fermé en 1994, il a rouvert ses portes en 2000 pour le plus grand plaisir des habitants du quartier ravis de retrouver poissonniers, bouchers, charcutiers, primeurs, fleuristes et autres producteurs venus de leurs terroirs lointains. Mais la vraie surprise du lieu, c'est l'Estaminet, un petit bistrot qui prépare chaque jour une cuisine de marché (lapin au romarin, rôti de porc au gratin de chou-fleur, cailles au miel...), pour terminer la semaine par un brunch. Puisque la simplicité et la décontraction sont les maîtres mots de la maison, le dimanche, on ne déroge pas à la règle.

Sans vouloir constamment chercher la petite bête, il faut admettre que l'on aurait aimé un peu plus de concentration dans le service. Cela nous aurait évité de réclamer régulièrement certaines gourmandises qui manquaient à l'appel... le pain et le thé, notamment, qui représentent quand même à eux deux le point de départ du brunch. Le reste, nous l'avons eu. Du jus de pomme, un œuf à la coque puis une assiette de mâche un peu terne, trois morceaux de fromage, du saucisson, du pâté et pour finir, des tranches de banane, des quartiers de pomme, du melon, de la pastèque et un yaourt. Tout est bon mais dans l'ensemble, ça manque de charme. Ces beaux produits mériteraient d'être mieux mis en valeur. Sur place, possibilité d'acheter des produits du terroir comme cette originale moutarde à la violette.

MURANO URBAN RESORT ★★★
▶ **BUFFET**

13, boulevard du Temple, 3ᵉ
M° Filles du Calvaire (ligne 8)
tél. 01 42 71 20 00
www.muranoresort.com
BRUNCH : dimanche, 12h-17h
PRIX : 38€
RÉSERVATION : conseillée

ACCUEIL ET SERVICE	▶ 15
CADRE ET ANIMATION	▶ 17
BRUNCH	▶ 17

La plus haute marche du podium

En 2004, pas un quotidien, pas un hebdomadaire, pas un mensuel n'a omis de parler de l'ouverture du Murano, un hôtel-restaurant totalement décalé, installé dans un arrondissement où personne ne l'attendait. C'est l'adresse où le Tout-Paris se doit d'être vu et où les stars viennent goûter au repos sur le canapé Chesterfield blanc installé devant une cheminée tout en longueur. Conférences de presse, lancements de produits, séances photos avec ou sans mannequins, il se passe toujours quelque chose au Murano. Le dimanche, c'est jour de relâche, sauf pour le personnel, d'un professionnalisme à toute épreuve. Au bar, les clients de l'hôtel prennent leur petit-déjeuner. Dans le hall, un duo de chanteurs donne le ton, un beau jeune homme lit le *Journal du Dimanche* en attendant sa cavalière, pendant qu'un serveur s'apprête à monter dans les étages par l'ascenseur moquetté de poils multicolores.

Une fois l'hôtesse d'accueil saluée, on entre dans le restaurant où quelques bruncheurs sont déjà à pied d'œuvre… et quand on aperçoit le buffet et les multiples trésors gourmands qui y sont présentés, on comprend qu'ils mettent du cœur à l'ouvrage. Tous les ingrédients d'un brunch sont au rendez-vous, toutes les envies sont comblées, il ne manque rien. Aux gourmandises salées et sucrées viennent s'ajouter des petits détails pratiques de service que beaucoup d'établissements devraient mettre en place, comme la pince pour attraper les viennoiseries ou le torchon que l'on dispose sur le pain avant de le couper. Au traditionnel jus d'orange frais s'ajoutent les jus de fruits d'Alain Milliat, dont un excellent jus de raisin blanc qui a le don d'émoustiller les papilles. Le beurre de chez Bordier s'étale sur les différents pains proposés, quant à l'assortiment de céréales, il est tel que l'on ne sait plus où donner de la tête. Un peu plus loin, c'est avec un plaisir non dissimulé que l'on découvre les œufs coque qui, pour une fois, semblent voler la vedette aux œufs brouillés. Saumon confit à l'huile d'olive, pain brioché à la provençale, club sandwich végétarien, mesclun de salades, tarte feuilletée à la tomate, fromages, sablés, madeleines, riz au lait, paris-brest, yaourts nature ou aux fruits, assortiment de cakes, cookies... ce buffet n'est qu'abondance de bonnes choses et de bon goût.

Certes, il faut ici débourser 38€ quand les établissements concurrents proposent des brunchs à 20 ou 25€ de moyenne. Une différence bien sûr conséquente mais largement justifiée au regard de la qualité, la diversité et la quantité des produits proposés... sans oublier un service remarquable et un lieu détonnant. Un brunch dont on se souvient longtemps et qui monte logiquement sur la plus haute marche du podium.

LE 404 ★
► ORIENTAL

> 69, rue des Gravilliers, 3ᵉ
> M° Arts-et-Métiers (lignes 3, 11)
> tél. 01 42 74 57 81
> BRUNCH : samedi, dimanche et jours fériés, 12h-16h
> PRIX : 21€
> RÉSERVATION : indispensable

ACCUEIL ET SERVICE	► 12
CADRE ET ANIMATION	► 15
BRUNCH	► 15

Une adresse magique

À peine sorti du lit, il faut de nouveau se lover sur des coussins, des poufs et des banquettes avec, pour ceux qui ont un appartement en duplex, la sensation de vraiment retourner se coucher s'ils décident de bruncher sur la mezzanine. Ce restaurant, dont certains n'hésitent pas à dire qu'il fait partie des établissements branchés de la capitale, est surtout connu pour ses caviars d'aubergine, couscous, tajines et autres crêpes berbères à la fleur d'oranger. Mais chaque week-end, dans la cuisine ouverte sur la salle, le chef mitonne trois formules de brunch : le 404, le Typique et l'Oriental.

Un conseil, si vous êtes deux ou plus, faites en sorte de prendre chacun une formule différente. Vous pourrez ainsi goûter une multitude de saveurs nouvelles et découvrir d'agréables parfums. Parmi toutes les propositions, nous gardons un souvenir ému du couscous sucré aux raisins secs et lait d'amande ainsi que de la salade d'orange à la cannelle. Dommage que le personnel, habituellement de si bonne humeur, soit aussi discret… A-t-il reçu l'ordre de ne pas nous brusquer au saut du lit ? Adresse magique qui vous transporte vers un autre continent.

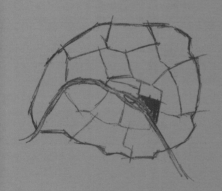

ARRONDISSEMENT **4**

L'AREA

10, rue des Tournelles, 4ᵉ
M° Bastille (lignes 1, 5, 8)
tél. 01 42 72 96 50
BRUNCH : dimanche, 12h15-16h
PRIX : 22€
RÉSERVATION : conseillée

ACCUEIL ET SERVICE	► 12
CADRE ET ANIMATION	► 12
BRUNCH	► 14

Cuisine brésilienne et libanaise

Édouard, d'origine libanaise, est né à Rio au Brésil. C'est là que, quelques années plus tard, il a rencontré la charmante Lydie. Ensemble, ils ont ouvert l'Area en 1990, un bar-restaurant où la caïpirinha coule à flots. Le dimanche, comme le reste de la semaine, ils font goûter la cuisine brésilienne et libanaise à leurs convives.

Sur le bar, Lydie installe un buffet sur lequel chacun vient chercher ses victuailles en fonction de son appétit et de ses envies. On y trouve pêle-mêle du ceviche (filet de poisson mariné au citron vert, à l'aneth et aux épices), de l'houmous (purée de pois chiches), du taboulé, du moutabal (caviar d'aubergines), mais aussi la salade Copacabana (crabe, ananas, cœurs de palmier, cacahuètes concassées et coriandre) et le halloumi (fromage libanais). Le café est proposé mais on lui préfère les jus de fruits, ça fait plus couleur locale.

L'ARGANIER
▶ ORIENTAL

19, rue Sainte-Croix-la-Bretonnerie, 4ᵉ
Mº Hôtel de Ville (lignes 1, 11)
tél. 01 42 72 08 25
BRUNCH : samedi et dimanche, 11h30-16h
PRIX : 23€
RÉSERVATION : non

ACCUEIL ET SERVICE	▶ 14
CADRE ET ANIMATION	▶ 12
BRUNCH	▶ 12

Décor chaleureux et agréable

Si nous vous apprenons que l'arganier est un arbre spécifiquement marocain qui pousse dans les zones arides, vous ne serez pas surpris de savoir que dans ce restaurant, le brunch revêt ses habits orientaux quand Paris s'éveille.

Outre le décor chaleureux et agréable (tables rondes, banquettes en velours rouge, plantes disposées ici et là), c'est surtout l'accueil et le service qui retiennent notre attention. Un personnel affable, toujours aux petits soins pour vous expliquer la composition des plats disposés sur le buffet et vers lequel d'incessants allers-retours sont nécessaires pour goûter un peu à tout.

Si les jus de pamplemousse et d'orange n'ont rien de séduisant, le thé à la menthe réveille votre palais avec délicatesse. La suite est un doux mélange de spécialités orientales et de plats typiques du brunch comme les œufs brouillés, les cakes, les cookies ou les madeleines. Coup de cœur pour les samoussas mais aussi pour les pâtisseries orientales qui, ce jour-là, ont relégué sur la touche les viennoiseries et les confitures qui ont pourtant tout tenté pour nous séduire. En vain.

THE AULD ALLIANCE

80, rue François-Miron, 4ᵉ
Mᵒ Saint-Paul (ligne 1)
tél. 01 48 04 30 40
BRUNCH : samedi et dimanche, 12h-16h
PRIX : de 7,50 à 10,50€
RÉSERVATION : non

ACCUEIL ET SERVICE	▶ 12
CADRE ET ANIMATION	▶ 12
BRUNCH	▶ 11

Le sport à l'honneur

Avis aux familles avec enfants, aux couples d'amoureux et aux bandes de copines, ce pub écossais typique n'est pas le meilleur endroit pour bruncher. Non pas que nous remettions en cause le contenu de l'assiette mais plutôt parce que c'est une ambiance un peu à part. Si vous aimez le côté rustique avec son lot de tables bistrotières, ses drapeaux et fanions écossais, son long bar en bois derrière lequel trône une belle série de bouteilles de whisky et l'odeur persistante de bière et de cigarette, cet endroit est fait pour vous.

Nous ne saurions trop vous le conseiller si vous êtes une bande de copains soucieux de trouver une adresse pour dévorer un brunch et suivre sur les écrans de télévision les exploits des rugbymen du monde entier. Ici, le sport, tous les sports sont retransmis régulière-ment et en attendant le coup d'envoi d'un match, France-Écosse par exemple, on opte après le café pour l'assiette « Purple Heather » (œufs, haricots, champignons, tomates et toasts) ou la « Flying Scotsman » (œufs, bacon, saucisses, haricots, tomates et toasts). À la mi-temps, on glisse doucement vers la pinte de bière parce qu'il est temps de passer aux choses sérieuses.

PAGES 72 / 73

BOULANGERIE HEURTIER
▶ TRADITIONNEL

2, rue de la Verrerie, 4ᵉ
M° Hôtel-de-Ville (lignes 1, 11)
tél. 01 40 27 91 97
BRUNCH : du mardi au dimanche, 9h-18h
PRIX : 23€
RÉSERVATION : non

ACCUEIL ET SERVICE	▶ 12
CADRE ET ANIMATION	▶ 13
BRUNCH	▶ 14

De sérieux atouts

Au premier étage de cette boulangerie très prisée dans le Marais, il existe une jolie salle avec vue imprenable sur la place du Bourg-Tibourg. Dans cet univers, à la fois sobre et design, aussi confortable que cosy et douillet, il est possible de bruncher et c'est un vrai plaisir. S'il est envisageable de picorer sur la carte, ici des œufs coque, là une omelette nature ou encore des fougasses et des salades, la formule brunch possède de sérieux atouts pour les amateurs.

L'orange pressée est délicieuse, la sélection des thés est issue du Palais des Thés, les confitures (d'oranges et de fraises) sont de chez Fouquet's, le beurre d'Échiré, quant aux viennoiseries et aux tartines grillées et magnifiquement croustillantes, vous vous en doutez, elles sont maison. C'est ensuite au Pavé du Marais de faire son apparition ou si vous préférez, deux œufs cocotte cuits dans un petit pain à l'huile d'olive, le tout servi avec des pommes sautées. Cependant, vous pouvez aussi lui ajouter du bacon, de la saucisse ou du saumon.

Et ce n'est pas fini, il vous reste un dessert à choisir à la carte et il faut admettre que la maison est généreuse. Alors que beaucoup d'adresses se contentent de vous proposer deux desserts au choix, ici huit gourmandises vous attendent comme un macaron, un crumble au citron, un tiramisu à la pistache, une tarte fine aux pommes ou un millefeuille à la vanille pour ne citer qu'eux. Seul bémol, le personnel. Il faut parfois s'armer de patience et ne pas s'attendre à une montagne de sourires. Le travail est bien fait mais ça manque un peu de chaleur.

LE BÛCHERON

► ITALIEN

14, rue de Rivoli, 4ᵉ
M° Saint-Paul (ligne 1)
tél. 01 48 87 71 31
BRUNCH : dimanche, 12h-15h30
PRIX : 22€
RÉSERVATION : conseillée

ACCUEIL ET SERVICE	► 13
CADRE ET ANIMATION	► 12
BRUNCH	► 14

Dans la chaleur italienne !

On y entre indifféremment par la rue de Rivoli ou la rue du Roi-de-Sicile mais la terrasse est côté Rivoli. Elle est certes ensoleillée mais comme vous pouvez l'imaginer… très bruyante.

On se réfugie donc à l'intérieur pour le brunch intitulé ici « La Colazione ». Si le barman s'occupe des boissons chaudes et du jus d'orange, le chef, installé dans sa mini-cuisine ouverte sur la salle, mitonne les œufs sur le plat au lard et surtout les lasagnes à la coppa ou à la pancetta.

C'est plutôt bon et la formule italienne change de tous les brunchs que l'on peut connaître à Paris. Avant d'attaquer la coupe de champagne qui vient conclure cette formule, on se délecte d'un onctueux tiramisu. Une bonne adresse pour varier les plaisirs.

LE CAFÉ BEAUBOURG ★

▶ TRADITIONNEL

43, rue Saint-Merri, 4ᵉ
Mᵒ Rambuteau (ligne 11)
tél. 01 48 87 63 96
BRUNCH : tous les jours, 8h-23h
PRIX : 13, 22 ou 24 €
RÉSERVATION : non

ACCUEIL ET SERVICE	▶ 15	
CADRE ET ANIMATION	▶ 14	
BRUNCH	▶ 14	

Hype, chic and cool

Un décor à la « de Portzamparc » (ça change de Starck) dans une grande salle où il fait bon séjourner tant l'espace de chacun y est préservé. Des tables rondes bien espacées où circulent entre de grands piliers de pierre les serveurs… et grande nouveauté, les serveuses. Enfin une touche féminine dans ce lieu hype, chic and cool, qui appartient à la galaxie des Costes. Des serveuses que l'on retrouve aussi en terrasse (avec vue imprenable sur le Centre Georges-Pompidou), l'une des plus réputées de la capitale, littéralement prise d'assaut dès les premiers rayons du soleil. À l'intérieur ou à l'extérieur, ça parle anglais, américain, français, néerlandais, espagnol ou italien autour de sujets aussi variés que la presse, la télévision, les prochaines signatures de contrats, sans oublier une pincée de mode et un soupçon d'art. Malgré ce côté un peu show-off de la clientèle, il faut reconnaître que cette dernière sait apprécier le brunch de la maison qui, effectivement, mérite de s'y attarder. Si les viennoiseries et les tartines beurrées sont en supplément (1,50 € pour les unes ou pour les autres), ce qui est légèrement mesquin, le reste est relativement copieux et savoureux, aidé en cela par une fourniture de produits de qualité comme le beurre d'Échiré, les confitures de chez Fouquet's et les thés de chez Mariage Frères. Si la formule à 13 € ressemble plus à un copieux petit-déjeuner (viennoiseries incluses !), le brunch à 24 € se différencie de son petit frère par la présence de saumon à la place des saucisses. Le paillasson de pommes de terre croustille à souhait, les œufs brouillés sont d'une cuisson irréprochable, quant à la salade de fruits frais, c'est de la dynamite de vitamine C. Une vraie réussite dans un cadre design et avec un personnel des plus agréables et des plus souriants. Que demander de plus ?

CAFÉ BHV

► TRADITIONNEL

11, rue des Archives, 4ᵉ
M° Hôtel de Ville (lignes 1, 11)
tél. 01 49 96 38 91
BRUNCH : dimanche, 12h-16h
PRIX : 12 €
RÉSERVATION : conseillée

ACCUEIL ET SERVICE	► 12
CADRE ET ANIMATION	► 16
BRUNCH	► 12

Chez le fleuriste

Étonnant ce Café BHV qui fait à la fois lieu de restauration, fleuriste, librairie et épicerie fine ! Il n'est d'ailleurs pas rare de voir les clients déambuler dans le magasin en feuilletant les livres de cuisine, les guides touristiques ou en inspectant les étiquettes du caviar d'aubergines ou du confit d'olives.

Certains discutent avec le fleuriste pour comprendre pourquoi leur azalée a rendu l'âme, alors que d'autres s'arrêtent devant la borne interactive où il est possible d'écouter une sélection musicale où l'on trouve l'excellent groupe anglais de Leeds, les Kaiser Chiefs.

Une fois que l'on a fait le tour du propriétaire, on se rend au comptoir pour le brunch servi sur un plateau comme dans une cafétéria. Dessus, s'empilent à la fois du café Illy, une viennoiserie (croissant ou pain au chocolat), des toasts et de la confiture, une quiche et sa salade et un yaourt. Cependant, vous avez la possibilité d'améliorer l'ordinaire en jetant un œil sur la vitrine réfrigérée où vous trouverez les excellents jus de fruits d'Alain Milliat, des petites mousses au chocolat, des cheesecakes ou encore des tartes chocolat-mendiants.

Le plateau dans les mains, on se dirige vers les confortables canapés rouges qui entourent une table basse en bois clair qu'il n'est pas rare de devoir partager. Personne ne s'en émeut, le cadre s'y prête. Une jolie halte avant une balade dans le Marais.

LE CARRÉ
► BUFFET

18, rue du Temple, 4ᵉ
M° Hôtel de Ville (lignes 1, 11)
tél. 01 44 59 38 57
BRUNCH : dimanche, 11h-17h
PRIX : 18€
RÉSERVATION : non

ACCUEIL ET SERVICE	► 13	
CADRE ET ANIMATION	► 13	
BRUNCH	► 12	

Après une nuit de folie

Une adresse branchée, comme souvent dans le Marais, avec son lot de grands écrans diffusant *MCM*, sa musique quelque peu assourdissante, son comptoir lumineux et une décoration très tendance avec notamment un jeu de miroirs surprenant qui donne l'impression que l'endroit est plus grand qu'il n'y paraît.

Le dimanche, tout le quartier se donne rendez-vous autour du buffet disposé sur la table centrale. Là trône tout un tas de plats divers et variés dans lesquels chacun pioche allègrement pour composer son assiette idéale : salades, crudités, charcuteries, œufs, ailerons de poulet, crêpes, tarte aux pommes, salade de fruits.

C'est ni bon ni mauvais, c'est l'avantage ou l'inconvénient d'un buffet. Tout le monde semble y trouver son compte, personne ne se prend la tête. On est ici pour recharger les batteries après une nuit de folie et pas pour se demander si les œufs sont bio, achetés au supermarché ou chez un petit producteur.

LE CURIEUX SPAGHETTI BAR

► TRADITIONNEL

14, rue Saint-Merri, 4ᵉ
M° Hôtel de Ville (lignes 1, 11)
tél. 01 42 72 75 97
BRUNCH : samedi et dimanche, 12h-16h
PRIX : 22€
RÉSERVATION : conseillée

ACCUEIL ET SERVICE	► 13
CADRE ET ANIMATION	► 15
BRUNCH	► 13

Des sorbets créés par le chef

« *C'est Kloug ?* » Non, c'est « *Spag* ». C'est ainsi que la dénomination « spaghetti » se dit et s'écrit au Curieux Spaghetti Bar, une adresse qui, comme son nom l'indique, revisite à sa manière les classiques de la cuisine italienne. L'endroit est original, branché Marais et décalé avec son bar rouge tout en longueur, ses papiers peints psychédéliques et ses lustres que l'on ne voudrait pas se prendre sur la tête.

Le week-end, les spaghettis cèdent la place au brunch. Là, sur le fameux bar rouge d'une dizaine de mètres, Mario et son équipe mettent à disposition les cafés, viennoiseries, tartes, confitures, faisselles, fruits frais et autres pains.

À vous d'y aller quand bon vous semble. Dans un second temps, un plateau compartimenté en porcelaine blanche est apporté à votre table. Si vous avez abusé du buffet, vous allez le regretter car c'est plutôt copieux. Dans le premier compartiment, des œufs brouillés, dans le deuxième du bacon, des saucisses ou des gnocchis. Dans le troisième de la bruschetta (tranche de pain grillée, huilée et aromatisée à la tomate dans le cas de la recette traditionnelle), dans celui d'à côté, une salade au choix et enfin, dans le dernier, un sorbet. Parmi les dernières créations du chef, un sorbet carotte, miel et cumin, mais nous avons une préférence pour le sorbet à la roquette et à la fleur de sel (essayez avec les œufs, c'est surprenant) ou le classique yaourt au lait de brebis.

DANS LE NOIR
▶ SURPRISE

51, rue Quincampoix, 4ᵉ
M° Rambuteau (ligne 11)
tél. 01 42 77 98 04
BRUNCH : dimanche, 12h-15h
PRIX : 23€
RÉSERVATION : conseillée

ACCUEIL ET SERVICE	▶ 13
CADRE ET ANIMATION	▶ 12
BRUNCH	▶ 13

Dans l'univers des non-voyants

Bruncher dans le noir total ? Une bien drôle d'idée alors qu'il y a quelques minutes nous étions encore dans les bras de Morphée ! Ouvert en 2004, ce restaurant a réussi le pari de nous proposer de déjeuner et de dîner dans le noir le plus total tout en étant servis par des non-voyants. D'ailleurs, ne soyez pas surpris de découvrir des chiens dans le hall d'entrée, ils attendent tout simplement leurs propriétaires qui sont vos serveurs du jour. Passage obligé par le vestiaire ou, si vous préférez, par les casiers tels que vous les connaissez à la piscine où vous êtes prié de laisser tout ce qui est susceptible d'être lumineux : briquets, montres et portables.

Vous rejoignez ensuite le maître de cérémonie. En liaison permanente avec ses serveurs, il leur annonce l'arrivée des nouveaux venus. Le rideau s'écarte alors et votre serveur non-voyant apparaît. Il vous prend la main et vous fait entrer dans cette salle totalement noire. C'est à cet instant précis que vous comprenez son handicap et que vous vous rendez compte que, sans lui, vous ne pouvez plus rien faire et surtout pas demi-tour. En vous dirigeant vers votre table, vous entendrez immanquablement : « Quelqu'un sait où sont les viennoiseries sur la table ? », « Qui a mis de l'eau dans mon jus d'orange ? », « Tu me regardes quand je te parle ? », sans oublier quelques couverts et verres qui chutent et se brisent. Une fois assis, vous tentez à tâtons de repérer les couverts, la corbeille à pain, la serviette et, aussi, vous essayez pour la première fois de porter votre verre de jus d'orange jusqu'à vos lèvres sans maculer votre tee-shirt. Exercice tout aussi périlleux avec le café ou le thé.

Outre du jambon et des fromages, la composition du brunch varie régulièrement, le but étant de faire travailler votre odorat et votre goût. Peut-être découvrirez-vous du cake, des muffins, un œuf poché, un duo de crèmes au caramel. Être plongé dans l'univers des non-voyants pendant toute la durée du brunch reste un moment bouleversant mais qu'étrangement on ne souhaite pas prolonger. On appelle donc le serveur pour être raccompagné au point de départ. Au bar, vous demanderez à voir le plan de la salle pour comprendre le chemin parcouru et deviner l'emplacement des autres tables et, surtout, vous lirez le contenu du brunch-surprise pour vérifier que vos papilles sont encore en état de marche. Puis, après une ultime caresse aux chiens, vous regagnerez la rue. Dehors, il fait jour.

L'ÉBOUILLANTÉ

► TRADITIONNEL

6, rue des Barres, 4ᵉ
M° Pont-Marie (ligne 7)
tél. 01 42 71 09 69
www.restaurant-ebouillante.com
BRUNCH : dimanche, 12h-19h
PRIX : 19€
RÉSERVATION : conseillée

ACCUEIL ET SERVICE	► 12	
CADRE ET ANIMATION	► 14	
BRUNCH	► 13	

La quiétude à Paris

C'est un vrai bonheur de découvrir cette rue des Barres joliment pavée et entièrement piétonne nichée derrière l'église Saint-Gervais. Loin de l'agitation des quais, en s'y promenant, on en oublierait presque que l'on est à Paris. Au beau milieu, l'ébouillanté est une institution très appréciée, surtout l'été pour sa terrasse où l'on s'installe pour boire un thé, manger un morceau de cake, une tarte au citron, un gâteau au chocolat, un pamplemousse ou un fromage de chèvre mariné à l'huile d'olive et aux herbes. Il y en a pour tous les goûts. L'hiver, tout le monde se retrouve à l'intérieur où sont exposées, notamment au premier étage, les œuvres du gagnant du prix de peinture de l'Ébouillanté.

Si le brunch est on ne peut plus traditionnel, nous n'apprécions que très modérément l'accueil (expéditif) et le service (dilettante). Ça manque de chaleur et de sourires. Ça tourne en été comme en hiver et l'on sent que ce n'est pas ici que l'on se liera d'amitié avec la patronne qui s'occupe plus de son tiroir-caisse que de ses clients. Dommage.

FERIA CAFÉ
▶ BUFFET

4, rue du Bourg-Tibourg, 4ᵉ
Mᵒ Hôtel de Ville (lignes 1, 11)
têl. 01 42 72 43 99
BRUNCH : dimanche et jours fériés, 12h-17h
PRIX : 19€
RÉSERVATION : conseillée

ACCUEIL ET SERVICE	▶ 12	
CADRE ET ANIMATION	▶ 11	
BRUNCH	▶ 12	

Décoration très lounge

Avec un tel nom, nous pouvions légitimement penser que cette adresse était entièrement dédiée aux fêtes du Sud-Ouest et aux corridas. Que nenni, le Feria Café, restaurant tout en longueur, a opté pour une décoration très lounge dans des tons de rouge, d'orangé, de jaune et de marron. Excepté l'odeur tenace de la cigarette froide qui vous prend à la gorge quand vous pénétrez dans cet établissement, le Feria Café a son charme même s'il n'a rien de détonant.

En fonction de la saison, le brunch est présenté sous forme de buffet au milieu de la salle quand les clients se ruent sur la terrasse, ou près du bar à côté des bergères (larges fauteuils qui ont le dossier rembourré) quand les bruncheurs préfèrent se retrouver au chaud. En dehors des fameuses viennoiseries qui viennent de chez le boulanger voisin, Heurtier, le reste du buffet n'a que peu d'intérêt. C'est tout le problème de ce type de mise en place. On pose sur le buffet tout ce que l'on peut, libre à chacun de composer son assiette en fonction des plats du moment : salade de pâtes, charcuteries, taboulé, œufs brouillés, lard fumé et pommes de terre sautées. Un peu de créativité ne nuirait pas. Terrasse arborée, calme, idéale pour les beaux jours.

THE LIZARD LOUNGE
► ANGLAIS

18, rue du Bourg-Tibourg, 4ᵉ
M° Hôtel de Ville (lignes 1, 11)
tél. 01 42 72 81 34
BRUNCH : samedi et dimanche, 12h-16h
PRIX : de 9 à 16€
RÉSERVATION : non

ACCUEIL ET SERVICE	► 9
CADRE ET ANIMATION	► 7
BRUNCH	► 8

On dit du Lizard Lounge qu'il est un des bars les plus open et décalés du quartier. Sans doute, mais pour ce qui est du brunch, il n'est pas décalé mais recalé. Même s'il n'y a pas officiellement un brunch type, il faudrait expliquer aux tenanciers qu'il serait de bon goût de proposer dans la formule au moins un café et un jus de fruits. Alors certes, avec un prix d'appel à 9€, on se doute que le contenu de l'assiette ne va pas être gargantuesque et qu'une multitude de suppléments vont être proposés. C'est le cas.

Un œuf sur le plat, trois tranches de bacon, des pommes sautées et des toasts, c'est la base du brunch à 9€. Deux saucisses de plus, c'est 1,50€. Mais attention, si vous voulez trois saucisses au lieu de deux et des tomates grillées, comptez 2€ de plus et ainsi de suite… La liste est longue, il y a onze formules différentes.

Ajoutez à cela un personnel fatigué, triste, qui ne vous salue même pas quand vous entrez parce que trop occupé à se raconter la soirée de la veille, et vous avez là l'adresse à éviter.

LE LOIR DANS LA THÉIÈRE
▸ TRADITIONNEL

> 3, rue des Rosiers, 4ᵉ
> M° Saint-Paul (ligne 1)
> tél. 01 42 72 90 61
> BRUNCH : dimanche, 10h-15h
> PRIX : 15,50 et 21€
> RÉSERVATION : non

ACCUEIL ET SERVICE	▸ 13
CADRE ET ANIMATION	▸ 15
BRUNCH	▸ 13

La cool attitude

Toute personne qui aime bruncher quelques dimanches par an vous le dira : « *Le Loir dans la Théière, j'adore* ». Depuis des années, cette adresse est effectivement plébiscitée par tous les amateurs de brunchs, sans doute pour le décor version maison de campagne, avec notamment ses fauteuils cuir plus que patinés et ses meubles chinés çà et là, l'incroyable collection d'affiches de spectacles et, bien entendu, la « cool attitude » qui règne dans cet établissement.

Ici, que l'on soit client, serveur ou patron, on ne se prend pas la tête. Tout le monde est détendu. On vient ici passer un bon moment douillet dans un quartier très agréable, que demander de plus ? Le brunch est très classique mais le rapport qualité-prix en ferait blêmir plus d'un. Personne ne trouve rien à redire au jus de fruits frais (celui à la carotte est à tomber), aux boissons chaudes, au yaourt, aux toasts, aux viennoiseries et aux œufs brouillés. Si l'on a très faim, on ajoute une tarte salée qui varie selon l'humeur et le marché. Souvenir ému tout de même pour la tarte aux œufs, aux olives, aux raisins et aux épinards.

Seul souci, le succès est tel que l'on finit par ne plus savoir à quelle heure venir pour être certain de dégoter une table. Soit vous restez sur le trottoir et vous attendez, soit vous tentez votre chance un autre dimanche. Il nous aura fallu quatre tentatives pour avoir enfin le privilège de nous enfoncer dans les fauteuils clubs. Un endroit constamment complet, c'est plutôt bon signe !

LE LOUNGE BAR
▶ TRADITIONNEL

49, boulevard Henri-IV, 4ᵉ
M° Bastille (lignes 1, 5, 8)
tél. 01 42 72 30 20
BRUNCH : dimanche, 10h-17h30
PRIX : 23€
RÉSERVATION : non

ACCUEIL ET SERVICE	▶ 14	
CADRE ET ANIMATION	▶ 14	
BRUNCH	▶ 13	

Classique

Au milieu de cette place de la Bastille bruyante et survitaminée à toute heure du jour et de la nuit, le Lounge Bar est un havre de paix qu'il est bon de rejoindre au saut du lit le dimanche. Si vous voulez être au calme, glissez-vous à l'intérieur. La terrasse est certes agréable mais le bruit peut vite vous rendre de mauvaise humeur. Une fois lové dans les fauteuils bas et quand vos yeux se seront adaptés à la couleur vert amande qui domine, laissez-vous bercer par le personnel. Ils savent pourquoi vous êtes là et l'idée de vous agacer pendant le brunch ne leur traverse pas l'esprit une seule seconde.

Ici, on fait dans le classique : jus de fruits fraîchement pressé (citron, pamplemousse ou orange), thé, café ou chocolat suivis des traditionnels pains et viennoiseries et leur lot de confitures (d'abricots, de fraises ou de framboises). Saumon fumé ou aiguillettes de poulet, œufs brouillés avec magret ou fromage blanc ciboulette et blinis précèdent un moelleux au chocolat, star incontournable des cartes de desserts depuis trop longtemps mais quand on aime, on ne compte pas. Classique, ni plus ni moins.

MARIAGE FRÈRES
► COSMOPOLITE

30, rue du Bourg-Tibourg, 4ᵉ
Mᵒ Hôtel de Ville (lignes 1, 11)
tél. 01 42 72 28 11
www.mariagefreres.fr
BRUNCH : tous les jours, 12h-19h
PRIX : de 26 à 38€
RÉSERVATION : conseillée

ACCUEIL ET SERVICE	► 14
CADRE ET ANIMATION	► 14
BRUNCH	► 13

Un moment magique

Parmi les trois boutiques Mariage Frères, celle du Marais est la première à avoir vu le jour. Il est possible de bruncher ici toute la semaine, sous la magnifique verrière. Par contre, une seule formule est proposée du lundi au vendredi. Avant de passer à table et selon l'affluence, passez quelques minutes dans la boutique. Regardez, humez. Il y a là autour de vous des grands spécialistes, des connaisseurs, des novices, des amateurs… les écouter partager leurs découvertes ou leurs sensations est un moment magique.

À table, il est donc évident que votre choix de boisson chaude se porte sur un thé, à condition que ce dernier ne dépasse pas 7€. Il accompagnera les toasts briochés sur lesquels on étale avec délectation des gelées de thé absolument divines. Dans le cadre de la formule à 26€, ce sont des œufs brouillés avec du saumon et des crevettes qui viendront compléter votre brunch avant la pâtisserie à choisir sur le chariot. C'est simple, beau mais relativement cher pour la quantité servie, surtout pour le brunch à 38€ où les œufs brouillés sont remplacés par du foie gras. Les 12€ de différence ne sont pas très justifiés à nos yeux.

LES MARRONNIERS
▶ TRADITIONNEL

18, rue des Archives, 4ᵉ
M° Hôtel de Ville (lignes 1, 11)
tél. 01 40 27 87 72
BRUNCH : dimanche, 12h-16h
PRIX : 16€
RÉSERVATION : conseillée

ACCUEIL ET SERVICE	▶ 13
CADRE ET ANIMATION	▶ 12
BRUNCH	▶ 12

Le maître de maison a du goût

Comme nombre de restaurants de la rue des Archives, Les Marronniers ont également opté pour la formule brunch. La demande est telle dans le quartier que tous les commerçants tentent de répondre aux attentes des clients. Malheureusement, la créativité n'est pas le point fort de la maison, pas plus que l'orthographe d'ailleurs. En effet, difficile d'accepter les deux « r » à « meringuée », même si, au final, la tarte au citron du même nom se défendait assez bien.

Le principe du brunch aux Marronniers, c'est donc de prendre une assiette et de mettre dedans tout ce qui passe sous la main du chef. Dans l'assiette fraîcheur, œufs brouillés, tomate, mozzarella (trop sèche), tartare de saumon (fade) et concombre à la menthe. Dans l'assiette dîners, œufs brouillés, saucisses et bacon, coleslaw et pommes sautées. Heureusement, les jus de fruits (orange, citron et pamplemousse) sont irréprochables. Quant aux thés Mariage Frères (Bourbon, Marco Polo et Chine fumé), leur présence prouve que le maître de maison a du goût.

Reste à rehausser le niveau de l'assiette et nous y reviendrons avec plaisir. Service enjoué, assuré par une bande de serveurs en chemise blanche de rigueur.

PITCHI POÏ
▶ **EUROPE CENTRALE**

9, place du Marché-Sainte-Catherine, 4ᵉ
M° Saint-Paul (ligne 1)
tél. 01 42 77 46 15
www.pitchipoi.com
BRUNCH : dimanche, 12h-17h
PRIX : 26€
RÉSERVATION : conseillée

ACCUEIL ET SERVICE	▶ 12	
CADRE ET ANIMATION	▶ 13	
BRUNCH	▶ 10	

Pour changer du classique brunch à l'anglaise et partir à la découverte d'une formule faisant la part belle aux produits d'Europe centrale, le Pitchi Poï semblait être l'heureux élu. Patatras, le brunch, s'il a un certain intérêt, est loin d'être aussi savoureux que ce que l'on aurait pu imaginer.

Un dîner quelques semaines auparavant nous avait déjà mis la puce à l'oreille : le saumon était quelconque, le caviar d'aubergines semblait avoir perdu son parfum en route et le tarama était aussi rose que celui que l'on trouve au supermarché.

Nous avons donc retrouvé nos trois déceptions, le premier dans une assiette servi avec des blinis et des œufs brouillés, le deuxième et le troisième attendaient au garde-à-vous sur le buffet avec des feuilles de vigne farcies, des crudités, des harengs doux, des œufs hachés et des foies de volaille. Seul le fromage blanc à la cannelle s'en est plutôt bien sorti. En même temps, ce n'est pas non plus le dessert le plus difficile à préparer. Dommage, le lieu est idéalement placé sur cette jolie place Sainte-Catherine et est en plus doté d'une terrasse des plus agréables. Service nonchalant et rapport qualité-prix exorbitant.

LE SOLEIL EN CAVE
► TRADITIONNEL

21, rue Rambuteau, 4ᵉ
M° Rambuteau (ligne 11)
tél. 01 42 72 26 25
BRUNCH : dimanche, 12h-16h
PRIX : 18,90€
RÉSERVATION : non

ACCUEIL ET SERVICE	► 14	
CADRE ET ANIMATION	► 13	
BRUNCH	► 13	

Adresse originale

Caviste ou restaurant ? Les deux mon capitaine et c'est ce qui fait le charme de l'endroit. Dirigée par deux professionnels du vin, cette adresse est incontestablement le rayon de soleil de la journée, surtout quand c'est dimanche et qu'éventuellement, certains d'entre nous se sont levés du pied gauche. Un pas dans Le Soleil en Cave et vous redevenez tout sourire. D'une part parce que les propriétaires ont toujours un petit mot pour vous accueillir, d'autre part parce que le lieu n'est pas commun, et y bruncher encore moins, et enfin parce que le jaune qui domine à l'intérieur et à l'extérieur a le don de vous redonner la pêche pour le reste de la journée.

Vous l'aurez compris, c'est donc au milieu de 250 références de vins que vous allez grignoter un brunch malicieux qui mêle les classiques jus de fruits, café, viennoiseries, pain, beurre et confitures aux produits à l'accent de nos terroirs, rosette, jambon, omelette et pommes de terre sautées.

Si le cœur vous en dit, laissez-vous tenter par un verre de vin à piocher dans les propositions appelées « vinitures ». Après nourriture, ce mot entrera peut-être un jour dans le dictionnaire et vous serez fier de l'avoir découvert avant tout le monde lors de votre passage dans cet établissement qui est à classer dans les adresses originales.

THE STUDIO
▶ COSMOPOLITE

41, rue du Temple, 4ᵉ
M° Rambuteau (ligne 11)
tél. 01 42 74 10 38
BRUNCH : samedi et dimanche, 12h-15h
PRIX : de 13 à 19€
RÉSERVATION : conseillée

ACCUEIL ET SERVICE	▶ **11**	
CADRE ET ANIMATION	▶ **13**	
BRUNCH	▶ **11**	

Brouhaha perpétuel

Une adresse mythique, celle du Café de la Gare. Dans la cour carrée se côtoient ce théâtre emblématique, le centre de danse du Marais et The Studio, qui n'est pas à proprement parler The adresse du quartier. La musique assourdissante, alors que nous aurions préféré entendre les jolies notes des cours de danse, et le personnel dynamique, souriant mais totalement désorganisé, sont sans aucun doute responsables de notre désillusion.

Seule la terrasse mérite le détour. Vous êtes au calme – sauf si vous prenez en compte la musique –, loin des pots d'échappement et sous le soleil. Ce n'est pas non plus l'assiette qui va nous consoler.

Sans être inintéressant, le brunch orienté tex mex n'a pas de quoi pavoiser. Si vous rêvez d'un café pour vous réveiller et de quelques viennoiseries pour titiller vos papilles, oubliez-les. Ici, après le jus de fruits en bouteille (orange, abricot, ananas ou pomme), on attaque directement par « Los Huevos Rancheros », trois œufs au plat servis sur une tortilla de blé avec une sauce mexicaine épicée, du guacamole et une quesadilla au fromage. Avouez que le réveil du palais peut parfois être difficile. Si les épices vous effraient, reportez-vous sur le « Country Brunch » mais dans ce cas, méfiance, les oignons sont de la partie en compagnie d'un steak haché posé sur une galette de pommes de terre et du coleslaw. Quant aux pancakes, avec du sirop d'érable ils doivent être bons mais comme ce dernier circule de table en table, nous n'en avons jamais vu la couleur. Il aurait peut-être fallu patienter mais nos oreilles étaient fatiguées par ce brouhaha perpétuel… nous rêvions d'un endroit calme. Partir était la seule solution pour le trouver.

THANKSGIVING
► **AMÉRICAIN**

20, rue Saint-Paul, 4ᵉ
Mᵒ Saint-Paul (ligne 1)
tél. 01 42 77 68 28
www.thanksgivingparis.com
BRUNCH : samedi et dimanche, 12h-16h
PRIX : 17€, 18 et 19€
RÉSERVATION : non

ACCUEIL ET SERVICE	► 15
CADRE ET ANIMATION	► 11
BRUNCH	► 13

Cuisine régionale américaine

Entre Halloween et Noël, les Américains se réunissent en famille pour fêter Thanksgiving et partager la traditionnelle dinde et le gâteau au potiron. À Paris, c'est à deux pas de la place des Vosges que nous vous invitons, non pas à fêter Thanksgiving, mais à rendre visite à l'équipe qui dirige cet établissement dédié à la cuisine créole de Louisiane.

Façade vert foncé, intérieur version vieille demeure avec poutres et murs en pierres apparentes, une étrange collection de mignon-nettes d'alcool, quelques affiches, chaises et tables en bois et vais-selle de grand-mère… on aime ou on n'aime pas. Nous, ce que nous apprécions le plus dans cette maison, c'est la chaleur de ceux qui la tiennent. Intarissables sur la cuisine régionale américaine – oui ça existe –, ils la proposent à l'heure du déjeuner et du dîner mais aussi pour le brunch qui, cela va sans dire, est très différent de tout ce qui est proposé sur Paris.

Ne réclamez pas les viennoiseries, les confitures et les jus de fruits, ils ne sont pas au programme et les papilles sont immédiate-ment mises à l'épreuve avec l'arrivée du boudin maison au porc, du riz, de la sauge, une sauce à la bière et des tomates. Cependant, vous pouvez opter pour des saveurs plus douces comme les œufs pochés servis sur fonds d'artichauts farcis au crabe avec de la sauce hollandaise ou le bagel new-yorkais toasté dans lequel viennent se nicher de la crème au fromage, du saumon, des rondelles de tomate et des oignons rouges. Après cette entrée en matière aussi surpre-nante que délicieuse, place aux gourmandises.

Si la formule ne propose qu'un dessert, il n'est pas rare de voir quelques clients en commander plusieurs. Ils n'ont effectivement pas l'occasion tous les jours de goûter le « Louisiana Bread Pudding » (pain perdu avec sauce bourbon), le gâteau à la carotte raffiné quoiqu'un peu sec ou le « Mississippi Mud Pie » (gâteau fondant au chocolat avec pointe de café, praline et cacahuètes). Une adorable adresse qui donne au brunch un air de voyage. Embarquement immédiat.

ET AUSSI :

BWYTY

12, rue Pecquay, 4ᵉ
M° Rambuteau (ligne 11)
tél. 01 44 59 86 72
www.bwyty.fr
PRIX : 20€

LE PAIN QUOTIDIEN

18, rue des Archives, 4ᵉ
M° Hôtel de Ville (lignes 1, 11)
tél. 01 44 54 03 07
PRIX : 19,50€

LES PIETONS

8, rue des Lombards, 4ᵉ
M° Châtelet (lignes 1, 4, 7, 11, 14)
tél. 01 48 87 82 87
www.lespietons.com
PRIX : 16€

STARCOOKER

32, rue des Archives, 4ᵉ
M° Hôtel de Ville (lignes 1, 11)
tél. 01 42 77 12 19
www.starcooker.net
PRIX : 19€

ARRONDISSEMENT **5**

L'ARBRE À CANNELLE

▶ **TRADITIONNEL**

> *14, rue Linné, 5ᵉ*
> *Mᵒ Place Monge (ligne 7)*
> *tél. 01 43 31 68 31*
> *BRUNCH : dimanche sauf juillet et août, 12h-15h*
> *PRIX : 22€*
> *RÉSERVATION : conseillée*

ACCUEIL ET SERVICE	▶ 13
CADRE ET ANIMATION	▶ 13
BRUNCH	▶ 13

Pour un réveil en douceur

L'Arbre à Cannelle niché dans le passage des Panoramas (2ᵉ arrondissement) possède un petit frère qui, contrairement à son aîné, propose une vraie formule brunch. Comme dans le 2ᵉ, vous pouvez, si vous le souhaitez, composer vous-même votre brunch en piochant dans les gourmandises salées ou sucrées de la carte, mais la maison a bien fait les choses pour vous faciliter la vie.

Dans un intérieur vert pomme granny smith qui oblige les yeux à s'écarquiller, tout le monde se presse autour des tables bistrotières et de la vitrine où sont exposées les tartes du moment. La poire-chocolat est délicieuse mais n'égale pas la clémentine-chocolat mitonnée en saison. Avec *RFM* en fond sonore qui assure un réveil en douceur, on se plonge dans les délicieux jus de fruits, notamment « le vitaminé » (orange, fraise et banane), avant l'arrivée des œufs brouillés accompagnés de crudités, de jambon ou de saumon. Une version baltique est aussi cuisinée avec ses indispensables saumon et tarama.

Adresse délicieuse qui offre ensuite la possibilité de s'accorder une agréable balade dans le jardin des Plantes voisin.

BREAKFAST IN AMERICA
► AMÉRICAIN

17, rue des Écoles, 5ᵉ
M° Cardinal Lemoine (ligne 10)
tél. 01 43 54 50 28
BRUNCH : dimanche , 8h30-23h
PRIX : 13,95€
RÉSERVATION : non

ACCUEIL ET SERVICE	► 13	
CADRE ET ANIMATION	► 12	
BRUNCH	► 12	

Elvis en fond sonore

Si vous faites abstraction des immeubles voisins et de la rue des Écoles, vous aurez l'impression d'être dans un de ces coffees américains quelque part aux États-Unis. Au programme donc : sièges rouges, tabourets ronds, ketchup sur toutes les tables, néons aveuglants, Elvis Presley en fond sonore et serveuses déambulant entre les tables avec une cafetière et vous proposant ce qu'elles appellent ici « du jus de chaussettes ». Ne souriez pas, c'est écrit de cette manière sur la carte.

Comme là-bas, on vous sert les œufs sur le plat accompagnés de pommes de terre sautées, du pain de mie toasté, un jus d'orange quelconque, sans oublier le pancake, le muffin ou le brownie et le yaourt, Yoplait en l'occurrence. Si vous aimez ce genre d'ambiance, pourquoi pas, mais globalement, tout ce qui est à la carte, vous pouvez très bien le préparer chez vous. Il est inutile d'être un grand cuisinier pour mitonner ce que le Breakfast in America propose chaque dimanche. En revanche, si vous souhaitez améliorer votre anglais, allez-y.

Ultime anecdote, ici, le pourboire n'est pas compris... comme là-bas, et c'est clairement stipulé sur la carte.

CAFÉ LÉA
► COSMOPOLITE

5, rue Claude-Bernard, 5ᵉ
M° Censier-Daubenton (ligne 7)
tél. 01 43 31 46 30
BRUNCH : dimanche, 12h-16h
PRIX : 17€
RÉSERVATION : non

ACCUEIL ET SERVICE	► 14	
CADRE ET ANIMATION	► 12	
BRUNCH	► 13	

Pour les gourmands

Avec sa terrasse installée à même le trottoir, c'est un bar de quartier à deux pas de l'église Saint-Médard. Léa y draine une clientèle de jeunes habitués qui font la bise au personnel et donnent l'impression de ne connaître que cette adresse. En salle ou au comptoir, ils discutent autour d'un café tout en lisant les journaux du jour avant de passer à table et découvrir le brunch dominical.

Un seul prix mais deux formules, la salée ou la sucrée, la différence se faisant dans la première partie du brunch. Les amateurs de salé opteront pour les boissons chaudes, les jus de fruits et les œufs au plat alors que les palais sucrés remplaceront ces derniers par des pancakes. La guerre entre salé et sucré ne dure finalement que très peu de temps car la suite est commune aux deux formules.

Parmi les plats principaux, le tartare de saumon au lait de coco a ses adeptes, le brick de chèvre mariné à la menthe connaît un franc succès mais la salade de Léa a aussi de fervents supporters. En fait de salade, il s'agirait plutôt de tapas, à la tapenade, aux poivrons marinés ou encore au thon-mayonnaise. Pour terminer, ce sont finalement les accros du sucré qui se régalent avec un crumble aux pommes, un fromage blanc ou un flan au coco nappé de chocolat, idéal. Ce n'est pas le plat le moins calorique, nous sommes d'accord, mais il est promis aux vrais gourmands. Et chez Léa, des gourmands, il y en a.

LE PAIN QUOTIDIEN
▶ TRADITIONNEL

> *136, rue Mouffetard, 5ᵉ*
> *M° Censier-Daubenton (ligne 7)*
> *tél. 01 55 43 91 99*
> *www.lepainquotidien.com*
> *BRUNCH : samedi, dimanche et jours fériés, 9h-17h*
> *PRIX : 19 €*
> *RÉSERVATION : non*

ACCUEIL ET SERVICE	▶ 13
CADRE ET ANIMATION	▶ 14
BRUNCH	▶ 14

Ambiance place de village

C'est le plus excentré des Pain Quotidien de la capitale mais son emplacement est séduisant. En bas de la rue Mouffetard, le dimanche jusqu'à 14 heures, le marché bat son plein. Assis en terrasse ou autour de la table d'hôte prévue pour seize convives, on ne se lasse pas d'entendre les primeurs vanter la qualité de leurs fruits et légumes. « *Allez on y va sur les pommes, elles sont magnifiques !* », « *Madame, regardez ces abricots, vous n'en trouverez pas de si bons ailleurs* », « *C'est le temps des cerises, on se régale, à 6 € le kilo, c'est l'affaire de la journée !* ». Ambiance place de village.

Pour le reste, vous connaissez le principe. Un grand meuble abrite des dizaines de pots de confiture et de miel, au comptoir on peut acheter des sucettes, des cakes, des brownies ou du pain et la table d'hôte trône au beau milieu. Autour, on se régale de pâtes au chocolat, de jus de pomme, d'œufs à la coque et de yaourts.

Et si par hasard vous avez envie d'une glace en sortant, glissez-vous chez le voisin Octave, c'est incontestablement l'un des meilleurs glaciers de Paris.

LE PETIT PONT
▶ TRADITIONNEL

1, rue du Petit Pont, 5ᵉ
Mᵒ Saint-Michel (ligne 4)
tél. 01 43 54 23 81
BRUNCH : tous les jours, 5h-15h
PRIX : 12,50 et 15€
RÉSERVATION : non

ACCUEIL ET SERVICE	▶ 9
CADRE ET ANIMATION	▶ 10
BRUNCH	▶ 10

Ambiance brasserie parisienne

À deux pas de Notre-Dame, le Petit Pont avec sa devanture jaune poussin est immanquable. C'est sans doute pour cette raison qu'il est envahi par des touristes malmenés par des serveurs qui jonglent entre les tables sans décocher le moindre sourire. Ambiance brasserie parisienne où l'on fait du chiffre de 5 à 15 heures.

Dans cet univers, on a du mal à se concentrer sur le brunch et ce malgré quelques éléments du décor qui attirent le regard comme ces 33 tours et ces partitions de musique attachés aux fils à linge. Pour 12,50€, il ne faut pas s'attendre à de la grande cuisine mais reconnaissons que c'est copieux. Après les boissons chaudes et l'orange ou le citron pressé, place au bol de céréales (une vraie surprise car il est souvent écarté à tort des formules brunch), puis suivent des œufs brouillés malheureusement trop cuits, de la poitrine fumée baignant dans la graisse et enfin, une crêpe au sirop d'érable, correcte mais sans plus. Si les serveurs ne nous prenaient pas pour des touristes, nous pourrions éventuellement passer un bon moment. Dommage !

LE RELAIS LAGRANGE
▸ TRADITIONNEL

17, rue Lagrange, 5ᵉ
M° Maubert-Mutualité (ligne 10)
tél. 01 43 54 14 65
www.relais-lagrange.com
BRUNCH : dimanche, 11h30-16h
PRIX : 20€
RÉSERVATION : non

ACCUEIL ET SERVICE	▸ 13
CADRE ET ANIMATION	▸ 14
BRUNCH	▸ 13

Pour les fans de l'automobile

Ne vous étonnez pas si en arrivant vous découvrez dans le couloir de bus de très belles et anciennes voitures : le patron est un féru de sports mécaniques. Si vous en possédez une, vous pouvez même vous garer devant, c'est-à-dire dans le couloir de bus, sans risquer la moindre contravention. Est-ce que cela sous-entend que le patron a négocié quelque chose avec la mairie de son arrondissement ? Nous n'osons pas le penser. Si la terrasse est parfaite pour admirer ces bolides, l'intérieur est surprenant. Outre un coin bibliothèque dans lequel les ouvrages sur les voitures sont nombreux, le lieu est globalement recouvert de photos de pilotes, d'affiches de grands prix, de casques et autres objets liés au monde de l'automobile.

Et le brunch ? Il se défend plutôt bien ou, pour rester dans l'ambiance, il tient la route. Jus de fruits (orange ou pamplemousse) et boissons chaudes précèdent trois propositions de plats principaux. En première ligne, les œufs au plat ou brouillés accompagnés d'une galette de pommes de terre, saucisses ou tranches de bacon. En deuxième ligne, les œufs Benedict servis pochés comme le veut la tradition, avec du bacon, une sauce hollandaise et un muffin. Enfin, en troisième ligne et pour changer des œufs dominicaux, un grand croque-monsieur accompagné de salade verte. À l'arrivée, des pancakes nature ou au chocolat ou des fruits de saison.

« Bienvenue à ceux qui prennent le temps », telle est la citation écrite sur l'ardoise. Un conseil, prenez votre temps, vous êtes entre de bonnes mains.

THE TEA CADDY

14, rue Saint-Julien-le-Pauvre, 5ᵉ
RER Saint-Michel (lignes B, C)
tél. 01 43 54 15 56
BRUNCH : tous les jours, 10h-19h
PRIX : de 12 à 30€
RÉSERVATION : conseillée

ACCUEIL ET SERVICE	► 12
CADRE ET ANIMATION	► 12
BRUNCH	► 14

Reposant

À deux pas de Notre-Dame, face au square René-Viviani et à côté du fameux restaurant espagnol Fogon, The Tea Caddy annonce fièrement avoir été fondé en 1928. On aimerait s'en rendre compte en collant son nez à la fenêtre pour jeter un œil à l'intérieur, mais les vitres sont fumées et composées comme des vitraux. Seule solution, pousser la porte.

Dès votre entrée, une sonnette retentit dans le fond de ce salon de thé et le personnel apparaît, d'une gentillesse déconcertante, presque trop timide. Ici, en quelques secondes, après avoir admiré les boiseries, la vaisselle et les poutres, vous enclenchez le portable sur la position silence et vous vous mettez comme par enchantement à parler tout bas pour ne pas déranger une clientèle qui semble connaître la maison et ses multiples gourmandises sucrées ou salées.

Point de formule pour le brunch servi toute la journée mais une carte dans laquelle on pioche en fonction de ses envies et de son humeur. Les thés proviennent de chez Dammann ou la Maison des Trois Thés et sont servis dans les règles de l'art. Les confitures (fraise, abricot et mangue) sont faites maison ainsi que toutes les tourtes, tartes et ces gâteaux fièrement disposés dans un joli meuble ancien autour duquel chacun vient se recueillir histoire d'agacer encore un peu plus les papilles.

Parmi les douceurs de la maison, une pensée particulière pour la tourte au saumon et sa salade, les œufs pochés aux épinards, le thé à la rose, la marmelade d'oranges, les muffins grillés et beurrés, le crumble pomme et cannelle, sans oublier un cake aussi envoûtant qu'attirant et un gâteau au chocolat fondant. La moyenne d'âge n'est pas forcément très jeune mais certains couples amoureux et sans enfants semblent apprécier la quiétude de la maison. Amateurs d'ambiance joyeuse, s'abstenir.

LE WATT
▶ **COSMOPOLITE**

3, rue de Cluny, 5ᵉ
M° Cluny-La Sorbonne (ligne 10)
tél. 01 43 54 99 85
BRUNCH : dimanche, 12h-16h
PRIX : 18€
RÉSERVATION : conseillée

ACCUEIL ET SERVICE	▶ **13**	
CADRE ET ANIMATION	▶ **13**	
BRUNCH	▶ **14**	

Un petit havre de paix

« *Boire, manger, bavarder, s'amuser, flâner…* », telle semble être la devise de la maison imprimée sur l'auvent de la terrasse. Posé à quelques encablures du bruyant boulevard Saint-Germain, le Watt est un petit havre de paix niché face à un square arboré où les oiseaux s'en donnent à cœur joie. L'intérieur, sorte de loft sur deux niveaux, a été plutôt bien pensé avec un doux mélange de canapés, de fauteuils design et de petits lits, sans oublier le coin bibliothèque où vous attendent les journaux du moment. Et heureusement qu'ils sont là, car les confortables canapés donnent envie de retourner dans les bras de Morphée. À peine cette idée vous a-t-elle traversé l'esprit que les premières festivités du brunch font leur apparition.

Que vous optiez pour le brunch « USA », « UE » ou « Grand Nord », la base est commune à tous, à savoir un yaourt nature, un jus de fruits, une boisson chaude, des viennoiseries, du pain, du beurre et de la confiture. Ce qui change, c'est l'œuf. Dans la version américaine, ils sont cuits au plat et servis avec du bacon, des pancakes et de la salade. Dans la version européenne, ils sont à la coque avec du jambon Serrano, de la salade et les adorables mouillettes. Enfin, pour le « Grand Nord », ils sont brouillés avec du saumon fumé et un bagel. Comme le lieu, le brunch est bien pensé, il offre à chacun la possibilité de manger son plat principal en fonction de son envie. Seul point négatif, la musique, on l'aimerait plus douce. Mais là encore, les goûts et les couleurs, ça ne se discute pas.

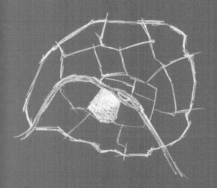

ARRONDISSEMENT **6**

L'ALCAZAR ★

▶ TRADITIONNEL

62, rue Mazarine, 6ᵉ
M° Mabillon (ligne 10)
tél. 01 53 10 19 99
BRUNCH : dimanche, 12h-15h
PRIX : 14€ (enfants), 28€ (adultes)
RÉSERVATION : conseillée

ACCUEIL ET SERVICE	▶ 14
CADRE ET ANIMATION	▶ 16
BRUNCH	▶ 13

Design moderne et épuré

À lui seul, l'Alcazar, repris par Sir Terence Conran, vaut le coup d'œil. Situé dans une rue où les galeries d'art pullulent, il était logique que cet établissement livre ses murs à des expositions permanentes ou temporaires. Majestueuse, la salle au design moderne et épuré est dotée d'une grande verrière qui offre au lieu une luminosité des plus agréables. Si vous venez en couple, offrez la banquette à votre compagne et tentez de faire bonne figure sur votre chaise d'un inconfort inégalable. Seuls les miroirs inclinés au-dessus des banquettes laissent perplexes. Ils offrent en effet aux convives placés au centre de la salle une vue imprenable sur le contenu de votre assiette, votre calvitie naissante ou le décolleté avantageux de madame.

Le décor est planté, place au contenu de l'assiette… irréprochable, si ce n'est l'un des plats principaux, un filet de bar sans grand intérêt accompagné d'un morceau de citron qui semblait avoir rendu l'âme depuis bien longtemps. La volaille fermière d'Anjou, le boudin noir aux châtaignes (au mois de juin ?) et pommes, les œufs brouillés au saumon fumé ou la salade de haricots aux pousses d'épinard et œuf poché faisaient partie des autres propositions du jour. Nous gardons en revanche un bon souvenir de la baguette, du thé noir fumé, et du jus d'orange tout simplement divin. Quant au moelleux au chocolat, sublime est le mot le plus approprié pour le décrire. Le personnel est d'un professionnalisme à toute épreuve. Malheureusement, ils n'ont pas de pouvoirs magiques pour baisser le niveau sonore du brouhaha qui règne tout au long du service.

L'ARTISAN DES SAVEURS
► COSMOPOLITE

72, rue du Cherche-Midi, 6ᵉ
M° Saint-Placide (ligne 4)
tél. 01 42 22 46 64
Brunch : samedi, dimanche et jours fériés, 12h-15h
Prix : de 17 à 26,10€
Réservation : conseillée

ACCUEIL ET SERVICE	► 12	
CADRE ET ANIMATION	► 11	
BRUNCH	► 12	

Plutôt resto que salon de thé

Quelques amateurs de brunch nous avaient dit et répété que l'Artisan des Saveurs était une bonne adresse. Puisque la première visite n'allait pas dans ce sens, nous y sommes retournés une seconde fois et malheureusement, le constat est le même, l'Artisan des Saveurs déçoit. Ça manque de peps, de sourire, de joie de vivre. Le service est mécanique et trop réservé, l'ambiance est tristounette.

Conséquence, on avale le jus de pamplemousse, la mini-brioche et le mini-muffin (un peu plus ne nuirait pas) sans réfléchir et on jette un œil distrait sur la carte des thés. Dans un autre lieu, on s'extasierait devant cette profusion de provenances. Et puis il y a cette croustade d'œufs brouillés et ce ragoût de champignons ou ces goujonnettes de dinde aux épices. Tout est délicieux mais ces plats ont-ils réellement leur place dans un brunch ?

On se croirait au restaurant alors que nous sommes dans un salon de thé avec une jolie vaisselle anglaise, des meubles style Interior's et un fond musical jazzy. Et enfin, il y a ces petits suppléments, 1,60€ pour un dessert, 1,60€ pour le thé Grand Jardin, qui mériteraient d'être inclus dans les formules notamment celle à 26,10€. À ce prix, on est en droit d'imaginer que le dessert est inclus.

CHEZ LES FILLES

► ORIENTAL

64, rue du Cherche-Midi, 6ᵉ
M° Saint-Placide (ligne 4)
tél. 01 45 48 61 54
Brunch : dimanche sauf juillet et août, 12h30-17h30
Prix : 17€
Réservation : non

Accueil et service	► 12
Cadre et animation	► 13
Brunch	► 14

Paradisiaque

Mignon comme tout ce petit salon de thé aux murs colorés de bleu, de vert et d'orange. Si l'accueil est un petit peu timide, il n'en reste pas moins souriant. Les filles qui œuvrent en salle et derrière les fourneaux sont patientes et expliquent gentiment et avec passion leur cuisine berbère.

Si vous aviez une folle envie d'œufs brouillés, de bacon, de toasts et de fromage blanc au miel, vous n'êtes pas à la bonne adresse. Ici, les saveurs et les parfums sont à l'opposé des brunchs traditionnels et personne ne s'en plaint, surtout pas nos papilles ravies d'être bouleversées par des goûts différents.

Tout commence par un verre de petit lait, beaucoup plus épais que notre lait traditionnel, viennent ensuite l'assiette de semoule sucrée à la cannelle (que certains mélangent avec le fameux petit lait) et les trois salades orientales. Pendant ce temps, le thé à la menthe a fait son apparition et chacun tente de le servir avec la même dextérité que les berbères, mais le résultat n'est pas toujours très convaincant. Avec un peu d'entraînement, tout le monde devrait y arriver.

Ce brunch se termine par une salade d'orange à la cannelle (un régal) et une crêpe marocaine. Un petit coin de paradis !

CITY ZEN CAFÉ
► **AMÉRICAIN**

73, rue de Seine, 6ᵉ
M° Mabillon (ligne 10)
tél. 01 43 29 01 22
www.city-zencafe.com
BRUNCH : dimanche, 11h-17h
PRIX : 16,90 et 21,90€
RÉSERVATION : non

ACCUEIL ET SERVICE	► 13
CADRE ET ANIMATION	► 11
BRUNCH	► 12

Un petit coté hollywoodien

Si vous aimez par-dessus tout l'univers d'Hollywood des années 50 et 60, cette adresse est faite pour vous. Si en plus vous êtes un inconditionnel du président Kennedy, alors oui, il faut que vous poussiez la porte de ce City Zen Café. La couleur aubergine prédomine dans un décor un peu trop chargé et surtout quelque peu poussiéreux. L'inconvénient de poser des objets et des cadres un peu partout est que ça prend la poussière, un coup de chiffon de temps à autre ne serait pas du superflu.

Puis, puisque l'on en est aux critiques, parlons de ce jus d'orange imbuvable pour lequel, on s'en doute, nous ne gardons pas un souvenir impérissable. C'est évidemment le risque que l'on encourt quand il n'est pas fait maison. Il faut donc parfois savoir sélectionner son fournisseur-livreur de thermos, le sanctionner même si c'est nécessaire mais surtout, il est vraiment de bon goût de reconnaître que celui que l'on sert n'est pas bon. La mauvaise foi a ses limites. Mais passons. Ici, les brunchs se nomment « Sammy Davis Jr », « Frank Sinatra » ou « Audrey Hepburn ». Vous pensez sans doute qu'ils sont servis avec une douce musique de jazz d'un niveau sonore correct ? Que nenni, c'est du disco qui nous accompagne. Dans l'assiette « Frank Sinatra », deux œufs au plat servis avec des toasts, deux saucisses, deux tranches de bacon puis de nouveau des œufs, mais brouillés cette fois. On prend sa respiration et on attaque les sucreries. Une salade de fruits de saison pour commencer puis une tranche de pain perdu sur lequel sont disposées des tranches de banane que l'on arrose de sirop d'érable. Un peu lourd mais savoureux.

LE COFFEE PARISIEN
► À LA CARTE

4, rue Princesse, 6ᵉ
Mᵒ Mabillon (ligne 10)
tél. 01 43 54 18 18
BRUNCH : samedi et dimanche, 11h30-17h
PRIX : de 20 à 30€
RÉSERVATION : non

ACCUEIL ET SERVICE	► 12
CADRE ET ANIMATION	► 14
BRUNCH	► 12

Clientèle jeune et branchée

Avant d'entrer dans le vif du sujet, un conseil… arrivez dès midi, sinon, dans l'heure qui suit, vous risquez de devoir attendre fort longtemps. Comme la maison ne prend pas de réservation, il faut donc s'armer de patience. A priori, la clientèle branchée, jeune et majoritairement américaine semble en avoir. Tout l'après-midi, elle converge vers cette adresse qui propose tous les ingrédients d'un brunch mais sans le présenter dans une formule comme il est de tradition de le faire.

Résultat, on pioche dans la carte, du thé, du café, des œufs Benedict (12,50€), à la florentine (avec épinards) ou norvégiens (avec saumon fumé), un club sandwich (12,50€), un carpaccio de bœuf et sa purée (12,50€), des pancakes (8€), du cheesecake (7€), le tout servi par un personnel joli, aimable mais pas forcément très convivial. Il fait son travail, la tête dans le guidon, en essayant d'éteindre les incendies qui se déclarent au bar ou dans la salle. Car après avoir attendu à la porte, il faut aussi patienter à table, le service étant relativement débordé.

Si vous aimez ce genre d'ambiance, pourquoi pas. Nous, avaler entièrement la corbeille de pain avant l'arrivée du premier plat, ce n'est pas notre tasse de thé.

COFFEE SAINT-GERMAIN
▸ **AMÉRICAIN**

5, rue Perronet, 6ᵉ
M° Saint-Germain-des-Prés (ligne 4)
tél. 01 40 49 08 08
www.coffeesaintgermain.com
BRUNCH : samedi et dimanche, 11h30-17h
PRIX : de 16,90 à 21,90€
RÉSERVATION : non

ACCUEIL ET SERVICE	▸ 13	
CADRE ET ANIMATION	▸ 13	
BRUNCH	▸ 12	

Cousin germain du City Zen Café

Le Coffee Saint-Germain appartient aux mêmes propriétaires que le City Zen Café. Les brunchs sont identiques mais le cadre est différent. Une façade très bistrot parisien, une poignée de tables et de chaises posées à même le trottoir et un intérieur décoré de photos en noir et blanc sans oublier l'incontournable drapeau américain. En prenant la carte, on tente non sans mal de rassembler toutes ses connaissances en anglais pour essayer de faire la traduction et deviner ce qu'il y a dans chaque assiette.

Comme au City Zen, les brunchs sont au nombre de trois : « Sammy Davis Jr », « Frank Sinatra » et « Audrey Hepburn ». C'est pour ce dernier que nous avons opté et la différence est essentiellement dans l'œuf. Brouillé dans le brunch « Frank Sinatra », il est présenté de trois façons dans le « Audrey Hepburn Brunch » : florentine, Benedict ou norvégien. Le Coffee Parisien, non loin de la rue Perronet, le propose également sous cette forme. Autre différence, la note sucrée. Si « Sinatra » penche pour le Banana French Toast, « Audrey » opte pour le classique Pancakes and Maple Syrup ou si vous préférez, pancakes et sirop d'érable. Entre le Coffee Saint-Germain et le City Zen Café, côté nourriture, vous l'aurez compris, c'est la même chose.

En revanche, côté accueil et ambiance, nous avons une préférence pour le Coffee où le sourire est une valeur sûre.

LES ÉDITEURS ★★

▶ TRADITIONNEL

4, carrefour de l'Odéon, 6ᵉ
M° Odéon (lignes 4, 10)
tél. 01 43 26 67 76
BRUNCH : dimanche et jours fériés, 11h-16h
PRIX : 24,50€
RÉSERVATION : non

ACCUEIL ET SERVICE	▶ 15	
CADRE ET ANIMATION	▶ 15	
BRUNCH	▶ 16	

Une somme de petits détails

Si la cuisine en semaine n'est pas notre tasse de thé, le brunch en revanche est à la hauteur. Cette brasserie moderne, qui possède une somptueuse bibliothèque, sait recevoir et connaît les règles d'or d'un brunch idéal, à commencer par la presse mise à disposition des clients, aussi fraîche que les jus de fruits pressés à la minute. Toute la réussite d'un brunch se fait dans des petits détails. Le thé Mariage Frères en est un, le vrai chocolat chaud en est un autre, sans oublier le choix de la vaisselle, les tables soigneusement dressées, les différentes variétés de pain, le beurre frais dans son petit pot, les confitures cuites au chaudron, la salade de fruits servie dans un verre dans lequel se glisse un bâton de cannelle.

Ajoutez à cela un personnel souriant, accueillant et particulière-
ment prévenant, et vous obtenez cette somme de petits détails qui fait
toute la différence. Si vous prenez le brunch en terrasse, il vous suffit
d'observer le regard des passants pour comprendre qu'ils regrettent
leur maigre petit-déjeuner ou le brunch testé dans un établissement
voisin et qu'ils ne garderont pas en mémoire.

Mais vous pouvez aussi vous plonger dans un des livres de la
bibliothèque qui sont mis gracieusement à votre disposition. Et si le
suspens vous tient en haleine et que vous souhaitez aller au bout de
cet ouvrage, n'ayez crainte, la maison ne vous chassera pas. Vous
êtes ici un peu comme dans votre salon.

LA FORÊT NOIRE
► TRADITIONNEL

9, rue de l'Éperon, 6ᵉ
M° Odéon (lignes 4, 10)
tél. 01 44 41 00 09
BRUNCH : dimanche, 12h-15h30
PRIX : 19 €
RÉSERVATION : indispensable

ACCUEIL ET SERVICE	► 13
CADRE ET ANIMATION	► 14
BRUNCH	► 14

Pour un réveil en douceur

C'est le salon de thé cosy par excellence. Depuis quelques années, Denise Siegel a posé ses valises dans cette petite rue du 6ᵉ arrondissement. La Forêt Noire, c'est un peu le salon dont on aurait aimé réaliser la décoration. Tout est pensé avec goût, le choix des couleurs, les rideaux, les sièges confortables. Le dimanche en fin de matinée, cet endroit est idéal pour un réveil dans le calme. Les gens parlent tout bas, la musique est douce et la cuisine de Denise permet aux papilles de se mettre en marche en souplesse.

Les trois formules proposées laissent à chacun le loisir de choisir son plat principal, le reste étant en commun. Craquez pour les brioches et l'assortiment de cakes, c'est un vrai délice, quant aux jus de fruits, orange et pamplemousse, ils se boivent comme du petit lait. Œufs brouillés, salade verte, crudités et pommes de terre correspondent à la première formule. La deuxième remplace les œufs brouillés par du jambon de la Forêt-Noire et la troisième est à base de saumon. Fromage blanc ou salade de fruits pour terminer.

On a une seule envie, prendre un magazine, rester là et profiter de ce nid douillet.

THE FROG AND PRINCESS

▶ ANGLAIS

9, rue Princesse, 6ᵉ
M° Mabillon (ligne 10)
tél. 01 40 51 77 38
www.frogpubs.com
BRUNCH : samedi et dimanche, 12h-15h
PRIX : 8€ (enfants), 14€ (adultes)
RÉSERVATION : conseillée

ACCUEIL ET SERVICE	▶ 13
CADRE ET ANIMATION	▶ 14
BRUNCH	▶ 12

Dans le temple du rugby

Un pub au milieu des pubs. Parce que le quartier fête régulièrement le ballon ovale, The Frog y a aussi posé ses valises. Cependant, à l'heure du brunch, l'ambiance est loin de ressembler à celle d'une troisième mi-temps. L'odeur de cigarette et les vapeurs d'alcool se sont volatilisées au profit de parfums plus savoureux comme ceux du bacon qui frémit dans la poêle.

Dans cet établissement rectangulaire qui possède sa micro-brasserie et un bar suffisamment long pour y disposer quinze titulaires, les remplaçants, l'entraîneur et le responsable de l'éponge magique, il est de tradition de savourer un brunch à l'anglaise comme dans tous les pubs insulaires.

Servi avec un jus de fruits et un café (ou un thé, Angleterre oblige), « The Rosbif Full English » n'offre pas de surprise mais reste tout de même copieux. Dans l'assiette se côtoient des œufs, du bacon, des saucisses, du pain grillé, des champignons, des haricots blancs et des tomates grillées. Vers 15 heures, les premiers supporters du cadrage-débordement, des coups de pied à suivre et des entrées en mêlée viennent se glisser devant les écrans de télévision en attendant le coup d'envoi du match du jour…

Pour les amateurs de brunch, il est temps de s'éclipser, les belles boutiques du 6ᵉ sont à deux pas.

L'HEURE GOURMANDE ★
► TRADITIONNEL

22, passage Dauphine, 6ᵉ
M° Mabillon (ligne 10)
tél. 01 46 34 00 40
BRUNCH : tous les jours, 12h-19h
PRIX : 25€
RÉSERVATION : conseillée

ACCUEIL ET SERVICE	► 14	
CADRE ET ANIMATION	► 14	
BRUNCH	► 15	

Jolie demeure avec mezzanine

Pour oublier le bruit du boulevard Saint-Germain et l'agitation des rues adjacentes, glissez-vous dans ce minuscule passage dans lequel vous rêverez tous d'habiter. Le calme y est de mise et tous les jours de la semaine, la charmante Cathy vous attend dans sa jolie demeure avec mezzanine. Dès l'entrée, vous tombez nez à nez avec les desserts maison qui trônent sur le meuble. Là, les papilles s'émoustillent, c'est le moment de passer à table en saisissant au passage l'un des journaux mis gracieusement à votre disposition.

Au programme pour commencer, une orange ou un pamplemousse fraîchement pressés et surtout pas coupés avec de l'eau comme aime à le préciser Cathy. Avec la boisson chaude, arrivent la brioche fondante à souhait, le beurre et les confitures faites maison avec notamment l'incontournable pomme-cannelle que tout le monde réclame. Une assiette de saumon fumé plus tard, il est l'heure d'attaquer le fromage blanc-compote à moins que vous ne préfériez en ajoutant 2€ opter pour la carte des desserts, ceux que vous avez scrutés à l'entrée. Cathy est sans aucun doute la reine des crumbles, profitez-en.

LA JACOBINE

▶ **TRADITIONNEL**

Cour du Commerce Saint-André
59-61, rue Saint-André-des-Arts, 6ᵉ
Mᵒ Odéon (lignes 4, 10)
tél. 01 46 34 15 95
BRUNCH : samedi et dimanche, 12h-15h
PRIX : de 15 à 22€
RÉSERVATION : non

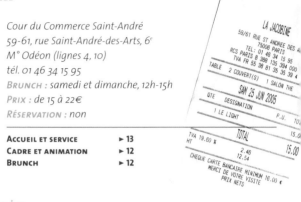

ACCUEIL ET SERVICE	▶ 13
CADRE ET ANIMATION	▶ 12
BRUNCH	▶ 12

Ah ça ira, ça ira...

Situé entre le boulevard Saint-Germain et la rue Saint-André-des-Arts, ce passage partiellement couvert doit son nom à la présence de nombreuses boutiques qui entouraient des jeux de boules. C'est aussi ici que Marat imprimait son journal L'Ami du peuple et qu'un charpentier mit au point la guillotine. Si les jeux de boules ont disparu, les commerces restent en place et parmi eux, La Jacobine, qui, comme vous pouvez l'imaginer, célèbre la Révolution française. Ambiance bonnet phrygien, faucille paysanne et prise de la Bastille.

Dans ce décor miniature (les commerces de ce passage épousent l'architecture d'époque donc tout est petit) qui aurait tout de même besoin d'être rafraîchi, trois formules de brunch sont proposées. Sans être révolutionnaires, elles ne méritent pas le couperet incessant de la critique. Le jus de pamplemousse et les œufs brouillés aux fines herbes sont excellents mais ces derniers sont un peu perdus dans une forêt de salade et de haricots verts. On a le sentiment de ne jamais pouvoir finir l'assiette. Pour 3€ de plus, une salade du marché viendra compléter la formule qui comprend bien entendu les incontournables boissons chaudes, pain, beurre et confitures quelconques.

Enfin, la formule à 22€ permet de terminer sur une note sucrée avec un choix de pâtisseries ou de crèmes de froment.

LORADISA
▶ **TRADITIONNEL**

21, quai des Grands-Augustins, 6ᵉ
M° Saint-Michel (ligne 4)
tél. 01 43 54 82 65
BRUNCH : samedi et dimanche, 11h-18h
PRIX : 15€, 20 et 25€
RÉSERVATION : conseillée

ACCUEIL ET SERVICE	▶ 14
CADRE ET ANIMATION	▶ 15
BRUNCH	▶ 12

Ambiance jazzy

Poutres au plafond, murs à colombages… en poussant la porte de Loradisa, on comprend immédiatement que cette adresse a une âme. À cette architecture historique, la maison a ajouté une note plus contemporaine en peignant le plafond en bleu et les murs de la salle en jaune et rouge. Le résultat est une vraie réussite et la vivacité des couleurs n'agresse pas le lève-tard, bien au contraire. Le reste de la décoration est également bien pensé, belles tomettes au sol, chaises en métal façon bronze sur lesquelles sont installés de confortables coussins. Quant aux tables, elles sont pourvues de plateaux en bois soutenus par des pieds en métal, comme une rencontre entre l'ancien et le moderne.

Loradisa est animée par une serveuse souriante qui règle le niveau sonore de la musique jazzy et rappelle que la multitude de titres de presse est à notre disposition.

En cuisine, une dame qui a opté pour la tenue réglementaire, veste de cuisinier et toque, ça rassure. Mais… parce qu'il y a un mais, la déception est dans l'assiette. Si le pancake et le jus d'orange pressé sont délicieux, les œufs brouillés n'ont rien de subjuguant, sans parler de la salade qui les accompagne, le thé est quelconque et les confitures trop classiques.

En revanche, les madeleines sont exquises, mais pourquoi n'en servir qu'une ? C'est un peu chiche, comme la noix de chantilly qui est proposée en accompagnement. Si pour certains elle ne sert pas à grand-chose, pour d'autres, cette crème est un vrai pêché mignon, mais à condition d'avoir la quantité.

MARIAGE FRÈRES

► COSMOPOLITE

13, rue des Grands-Augustins, 6e

M° Odéon (lignes 4, 10)

tél. 01 40 51 82 50

www.mariagefreres.fr

BRUNCH : tous les jours, 12h-18h30

PRIX : de 26 à 38€

RÉSERVATION : conseillée

ACCUEIL ET SERVICE	► 14
CADRE ET ANIMATION	► 14
BRUNCH	► 13

Petit frère du Marais

Cette adresse ouverte après celle du Marais ne modifie en rien sa carte par rapport à son aînée. On retrouve le jus de fruits frais, les toasts briochés et la gelée de thé, les œufs brouillés au saumon et aux crevettes et le dessert. La différence se fait dans le cadre. Au rez-de-chaussée, la boutique où il est indispensable, si vous êtes amateur de thé, de rester quelques instants. Au premier étage, la partie restauration et au sous-sol, le musée du thé qui mérite toute votre attention.

Cette adresse est globalement plus cosy et le personnel plus proche de ses clients.

MOOSE HEAD
▶ CANADIEN

16, rue des Quatre-Vents, 6ᵉ
Mº Odéon (lignes 4, 10)
tél. 01 46 33 77 00
BRUNCH : samedi et dimanche, 11h-16h
PRIX : de 9 à 16,50€
RÉSERVATION : non

ACCUEIL ET SERVICE	▶ 13
CADRE ET ANIMATION	▶ 12
BRUNCH	▶ 12

Ici, on ne presse pas les oranges !

C'est ici que les expatriés canadiens installés à Paris se retrouvent pour boire un verre, dévorer un bagel ou regarder les matchs de basket sur écran géant. Ce bar en forme de L doit les accueillir jusque tard dans la nuit car si vous arrivez aux alentours de midi, vous pourrez encore apprécier les odeurs d'alcool et de tabac froid… Mais passons.

Question nourriture, le brunch canadien ressemble à s'y méprendre au brunch américain. En cherchant dans toutes les formules proposées, nous n'avons malheureusement pas trouvé le plat qui nous aurait rappelé Toronto ou Montréal. Sous le regard d'un élan qui trône derrière le bar, nous avons donc avalé des œufs, du bacon, de la saucisse, des pommes de terre sautées, le tout accompagné d'un café et d'un jus de fruits sorti tout droit d'une bouteille en plastique comme celle que vous trouvez au supermarché. Inutile de vous faire un dessin, vous avez compris qu'ici, on ne presse pas les oranges.

On mange sans enthousiasme en s'interrogeant surtout sur la façon dont ils préparent les œufs brouillés. Les oublieraient-ils systématiquement sur le feu ? Cela paraît évident car c'est la première fois que nous découvrons des œufs proposés façon boulettes. Comme celles que vous réalisez avec de la mie de pain quand vous vous ennuyez à table ! C'est étrange certes… mais c'est surtout pas bon.

LE PUB SAINT-GERMAIN
▶ TRADITIONNEL

17, rue de l'Ancienne-Comédie, 6ᵉ
M° Odéon (lignes 4, 10)
tél. 01 56 81 13 13
BRUNCH : dimanche, 11h-16h
PRIX : 15€
RÉSERVATION : non

ACCUEIL ET SERVICE	▶ 14
CADRE ET ANIMATION	▶ 14
BRUNCH	▶ 13

Ambiance marocaine, coloniale ou chinoise

Après trois ans de travaux, le mythique Pub Saint-Germain fermé depuis 2002 a rouvert ses portes avec un nouveau décor que l'on doit à Jonathan Amar. Celui-ci a imaginé une ambiance différente pour chaque niveau : dans la salle qui donne sur le cour du Commerce Saint-André, ambiance marocaine avec prédominance du beige, au rez-de-chaussée, le style colonial a été retenu, quant à l'étage, les tons rouges nous font voyager en Chine.

On peut y venir pour boire un verre, déjeuner, dîner, prendre un thé et surtout bruncher. La formule proposée comprend des jus de fruits frais (orange, citron ou pamplemousse), des boissons chaudes, une assiette composée de salade de tomates, de chèvre frais à la ciboulette, d'œufs brouillés, de pain toasté, de brioche et de pain perdu. La note sucrée est apportée par la salade de fruits frais. Service aussi souriant qu'efficace.

LE STRAPONTIN CAFÉ
► TRADITIONNEL

12, rue Princesse, 6ᵉ
M° Mabillon (ligne 10)
tél. 01 43 26 79 95
BRUNCH : samedi et dimanche sauf juillet et août, 12h-16h
PRIX : 23€
RÉSERVATION : non

ACCUEIL ET SERVICE	► 11
CADRE ET ANIMATION	► 13
BRUNCH	► 12

Entre amis

Il est toujours étrange de se promener rue Princesse le dimanche. Quelques heures auparavant, les rues Princesse, Guisarde et celle des Cannettes étaient bondées, la fête battait son plein et les rugbymen avaient envahi les lieux. S'il n'est pas rare de croiser un ou deux joyeux drilles assis sur un trottoir, assommés par la fatigue et l'alcool, le contraste reste tout de même très saisissant. Beaucoup d'établissements restent fermés le dimanche mais Le Strapontin, avec sa façade rouge immanquable, s'éveille doucement en recevant vers midi une clientèle d'habitués qui viennent grignoter au saut du lit. Un lit que certains doivent trouver nettement plus confortable que les strapontins de la maison sur lesquels il est difficile de rester longuement. Sans être originale, la formule brunch ravit ceux qui n'ont pas envie de se poser de questions et qui veulent tout simplement se nourrir. Au programme, pain, beurre, confiture et muffins puis, au choix, œufs brouillés, hamburger ou tartare de bœuf et enfin moelleux au chocolat ou salade de fruits. Service un peu lent et aussi peu réveillé que les clients mais personne ne lui en tient rigueur. On est ici entre amis.

ET AUSSI :

NIL'S

10, rue de Buci, 6ᵉ
M° Mabillon (ligne 10)
tél. 01 46 34 82 82
PRIX : 9,20€

KIWI CORNER

25, rue Servandoni, 6ᵉ
M° Saint-Sulpice (ligne 4)
tél. 01 46 33 12 06
PRIX : de 15 à 18€

ARRONDISSEMENT **7**

LE CAFÉ DES LETTRES
▶ **BUFFET**

53, rue de Verneuil, 7ᵉ
M° Solférino (ligne 12)
tél. 01 42 22 52 17
BRUNCH : dimanche, 12h-16h
PRIX : 25€
RÉSERVATION : conseillée

ACCUEIL ET SERVICE	▶ 14
CADRE ET ANIMATION	▶ 15
BRUNCH	▶ 12

Presque la perle rare

C'est sans aucun doute l'une des adresses les plus charmantes de l'arrondissement et il faut vraisemblablement être du quartier pour la connaître. Situé rue de Verneuil, rue chère à Serge Gainsbourg, on accède au Café des Lettres en passant sous un porche qui mène au Centre national du livre et à la Maison des écrivains. Sur la gauche, une cour pavée aussi silencieuse que délicieuse dans laquelle une terrasse a été dressée. C'est le point fort de la maison auquel il est légitime d'ajouter l'accueil assuré par une équipe de demoiselles blondes comme les blés, agréables et polies.

En refermant la porte derrière nous, nous pensions avoir trouvé la perle rare, l'adresse que l'on garderait pour soi et que l'on ne divulguerait pour rien au monde aux amis bruncheurs toujours en quête d'adresses qui sortent de l'ordinaire. Mais voilà, le brunch est décevant. Tous les plats sont disposés sur le bar et tout est à volonté mais le bon côtoie le moins bon et il faudrait juste que la maison accepte de faire quelques efforts pour justifier les 25€. À commencer par les jus de fruits. La gamme complète des bouteilles de Pampryl disposée sur le comptoir mériterait d'être remplacée par des jus de fruits frais. Les Saveurs du Soir, verveine-menthe et autres thés en sachets de chez Lipton pourraient disparaître au profit de thés plus savoureux. Quant au jambon, il ferait sortir de ses gonds notre Jean-Pierre Coffe national s'il venait à passer par là.

Pour le reste, rien à redire au niveau des quantités, à condition de ne pas arriver trop tard, il y en a pour tout le monde et pour tous les goûts. Des salades de pâtes à la mozzarella et aux tomates, du saucisson à l'ail, des œufs durs aux crevettes, des carottes râpées, du concombre, des radis, des plats chauds, des dés de camembert, mais aussi des fruits frais, des biscuits chocolatés, un fraisier aussi appétissant qu'en Angleterre et un moelleux au chocolat… à tomber. L'endroit est magique, l'accueil merveilleux, la clientèle élégante… mais la prestation n'est pas complètement à la hauteur. Dommage, pour quelques détails, le Café des Lettres devenait notre adresse préférée.

LE BASILE
▶ AMÉRICAIN

34, rue de Grenelle, 7^e
M° Sèvres-Babylone (lignes 10, 12)
tél. 01 42 22 59 46
BRUNCH : *samedi et jours fériés, 11h30-17h*
PRIX : *13,10€*
RÉSERVATION : *non*

ACCUEIL ET SERVICE	▶ 14
CADRE ET ANIMATION	▶ 12
BRUNCH	▶ 12

Entrez, c'est ouvert…

La peinture bleu clair de la façade, volontairement écaillée (?) par endroits, laisse croire que ce bar est à l'abandon depuis quelques années. En fait, ça semble être le concept de la maison. Un ensemble totalement déstructuré composé de tabourets éventrés placés devant un bar en formica, une table en marbre, des chaises bistrotières, une banquette en forme de S et des chaises de jardin orange.

Derrière le bar, une serveuse aux cheveux violets donne ses ordres à la charmante Clémence qui virevolte en salle. Avec sa jolie voix cassée, elle annonce la composition du brunch qui se veut simple, sans chichis et qui va à l'essentiel : boisson chaude, fruit pressé, saucisse ou saumon accompagnés de pommes de terre auxquels s'ajoutent des œufs brouillés, de la salade et du coleslaw. C'est copieux mais sans grand intérêt. Seul le brownie a trouvé grâce à nos yeux ainsi que les thés de chez Dammann, même si nous aurions aimé avoir un peu plus de choix… Nous sommes dans un bar me direz-vous, pas dans un salon de thé.

PEGOTY'S
▶ **TRADITIONNEL**

79, avenue Bosquet, 7ᵉ
M° École Militaire (ligne 8)
tél. 01 45 55 84 50
BRUNCH : tous les jours, 9h-19h
PRIX : 15 et 19€
RÉSERVATION : conseillée

ACCUEIL ET SERVICE	▶ 13	
CADRE ET ANIMATION	▶ 15	
BRUNCH	▶ 10	

Savoureux parfums de gourmandises

Que se passe-t-il au Pegoty's ? Ce salon de thé aurait-il perdu la recette du brunch ? Notre dernière visite le laisse croire. C'était pour nous une joie de pousser la porte de cette charmante adresse. Nous allions retrouver avec plaisir ces trois salles différemment décorées, avec une préférence pour la deuxième, le sourire de la patronne, l'accent roumain de la serveuse, le minuscule petit chien niché dans le couffin, la presse mise à disposition, les gâteaux présentés au garde-à-vous dans la vitrine, la musique classique en fond sonore et les savoureux parfums de gourmandises qui cuisent et viennent taquiner votre nez dès que vous entrez. Tout ceci est toujours d'actualité mais la déception est dans l'assiette.

Sans vouloir bruncher dans du cristal, nous aurions préféré que le jus de fruits commandé soit servi dans un verre plus élégant que le verre de marque Pampryl. Est-ce à dire que les jus de fruits (pamplemousse, cerise, tomate, tropical, orange ou carotte) proviennent de cette marque ? Nous sommes tentés de le croire. Même constat pour le bacon qui semble sortir tout droit d'une barquette de chez Herta. Rondes et roses, les deux tranches, une fois passées dans la poêle, arrivent dans votre assiette, recroquevillées sur elles-mêmes, tristes de devoir accompagner deux saucisses, des œufs brouillés fades et une tomate coupée en deux. Pour 4€ de plus, vous pouvez opter pour la formule à 19€ avec une coupe de champagne à la place du jus de fruits, et une pâtisserie. Belle idée que ce clafoutis à la framboise. Dommage qu'il ne soit pas du jour et que la pâte soit devenue toute molle à force de rester là, derrière la vitrine.

LE ROUPEYRAC
▶ RÉGIONAL

62, rue de Bellechasse, 7ᵉ
M° Rue du Bac (ligne 12)
tél. 01 45 51 33 42
BRUNCH : du lundi au vendredi, 9h30-11h30
PRIX : 15€
RÉSERVATION : non

ACCUEIL ET SERVICE	▶ 13
CADRE ET ANIMATION	▶ 12
BRUNCH	▶ 15

Formule qui sent bon le terroir

Dans le quartier des ministères, Le Roupeyrac a osé tenter l'aventure du brunch en semaine. Si, pour le moment, la maîtresse de maison semble un peu déçue par les résultats, nous espérons de tout cœur qu'elle n'arrêtera pas cette formule qui sent bon le terroir avec, au passage, un gros clin d'œil au Cantal. Appétit de moineaux s'abstenir, ici on a tendance à faire dans le copieux.

Après une orange pressée d'une fraîcheur remarquable et un double café, place aux assiettes préparées par Nathalie nichée dans sa cuisine au sous-sol. Par le biais d'un haut-parleur, elle communique avec la salle et on sent dans ses propos qu'elle est aux petits soins pour nous. « *Il la veut comment son omelette le monsieur, bien cuite ou baveuse ?* » Trente secondes plus tard : « *Demandez au monsieur s'il veut des fines herbes dans son omelette* ». Après quelques minutes, ladite omelette fait son apparition accompagnée d'une assiette de carottes râpées et de tomates avec une vinaigrette maison et d'une autre assiette de jambon de pays et de Cantal. « *C'est un artisan local qui nous fournit.* » C'est incontestable, ce jambon et ce fromage n'ont pas été achetés en grande surface.

Si après ça, vous avez encore faim, il vous reste éventuellement la corbeille de pain à finir avec le petit pot de confiture de chez Bonne Maman. C'est la seule fausse note de la maison. Si Le Roupeyrac pouvait être ouvert le week-end, il est évident que sa formule brunch connaîtrait un franc succès dans le quartier.

LE 7ᵉ SUD

▶ COSMOPOLITE

159, rue de Grenelle, 7ᵉ
M° École Militaire (ligne 8)
tél. 01 44 18 30 30
BRUNCH : dimanche et jours fériés, 12h-17h
PRIX : 21€
RÉSERVATION : conseillée

ACCUEIL ET SERVICE	▶ 14
CADRE ET ANIMATION	▶ 14
BRUNCH	▶ 13

Pour tous les goûts

Si vous habitez le 7ᵉ et que vous n'avez pas envie, le dimanche matin, de traverser tout Paris pour bruncher, contentez-vous de ce 7ᵉ Sud. Le cadre y est agréable, le service aimable et il est rare de devoir jouer des coudes pour trouver une place. Normal pour un quartier presque désert aux alentours de midi.

Dans l'assiette, après un café – et pas un de plus (!) –, ou un thé à la menthe servi dans une théière qui sent le poisson (il serait d'ailleurs vraiment temps de se demander pourquoi ici toutes les théières sentent systématiquement le poisson), place à l'orange pressée, fraîche comme la rosée du matin sur le Champ-de-Mars. Si l'on peut regretter l'absence de viennoiseries, on ne peut que se féliciter du choix des œufs brouillés. Nature, à la tomate, aux copeaux de parmesan, au saumon ou à la ciboulette, il y en a pour tous les goûts. Même constat et même satisfaction pour les tartines au pesto, à la provençale ou à la grecque. Elles ensoleillent le palais et réveillent les derniers endormis. Fromage blanc au miel ou crêpe marocaine aux dattes et à la fleur d'oranger viennent conclure ces festivités qui sentent bon le Sud.

ET AUSSI :

LE CAFÉ DE MARS

11, rue Augereau, 7ᵉ
M° École Militaire (ligne 8)
tél. 01 47 05 05 91
PRIX : 20€

PAR FRANÇOIS D'EPENOUX
ÉCRIVAIN

UNE FAIM DE P'TIT LOUP ?

Comme tous les Papas du Dimanche qui accueillent leurs enfants un week-end sur deux, j'ai un ami, un vrai : le brunch. Seule cette formule magique, à mi-chemin entre le p'tit déj' et le déj', peut me sauver d'une situation très souvent inhérente au statut qui est le mien, à savoir : une certaine désorganisation (euphémisme), des courses pas complètes, un frigo à moitié vide et, au-delà de tout cela, une fringale folle de faire plaisir à mes trois petits loups.

Formule magique, donc. Celle que je lance à la cantonade dans la tiédeur cotonneuse du matin n'est pas sans rappeler une pub connue – « On va bruncher ? » – mais elle fait son effet : je n'ai pas fini de la prononcer que mon trio est déjà habillé, coiffé, prêt à partir. Magique, je vous dis ! Dix minutes après, nous sommes attablés en bord de Seine, dans l'un de ces hauts lieux de Suresnes qui, comme d'autres la messe ou le jogging, pratiquent le brunch le dimanche.

L'office a commencé et là, tout va très vite. Pendant que j'engloutis ma salade de fruits, Vincent se la joue british avec des *eggs* et du bacon tandis que Lise, cinq ans, mélange frénétiquement corn flakes et fromage blanc. Alice, l'aînée, n'en finit pas de boire son jus d'orange – ainsi que les paroles du patron qui énumère les fromages de la carte. Autour de moi, ça dévore, ça goûte, ça mastique, ça touille, ça racle, ça essuie ses moustaches au-dessus des lèvres et surtout, ça fait plaisir à voir ! Croissants, pains au chocolat, pains au raisin, confitures de tous les goûts et de toutes les couleurs, ici on ne tourne pas autour du pot : en moins de trente minutes il ne reste plus une miette du festin.

Encouragé par les enfants, je recommande un café. Je les vois prendre chacun un sucre : c'est le moment des canards. Viendra celui des cygnes, tout à l'heure, au jardin public.

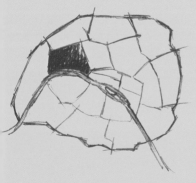

ARRONDISSEMENT **8**

LES AMBASSADEURS ★★★
HÔTEL DE CRILLON

▶ LUXE

10, place de la Concorde, 8ᵉ
M° Concorde (lignes 1, 8, 12)
tél. 01 44 71 16 16
www.crillon.com
BRUNCH : dimanche, 12h-15h
PRIX : 30€ (enfants), 60€ (adultes)
RÉSERVATION : indispensable

ACCUEIL ET SERVICE	▶ 17
CADRE ET ANIMATION	▶ 15
BRUNCH	▶ 18

Petite révolution au Crillon

Le chef de cuisine, Jean-François Piège, a souhaité instaurer un brunch le dimanche, servi sous les ors et les marbres de la très belle salle à manger des Ambassadeurs, le restaurant gastronomique du Crillon. Une belle idée pour permettre à chacun d'entrer au moins une fois dans ce palace de la place de la Concorde. Certes, il vous faudra débourser 60€ mais quand on sait que le déjeuner est à 70€ et qu'au dîner il faut compter plus de 150€ sans les vins, avouez que l'idée reste tentante. La première partie du brunch est à elle seule un pur moment de bonheur et de gourmandise. Les viennoiseries brillent, le yaourt à la vanille fond en bouche comme neige au soleil, le beurre de Jean-Yves Bordier, maître beurrier installé à Saint-Malo et présent sur les grandes tables de France, s'étale avec délicatesse sur un pain d'une qualité irréprochable. Libre à vous d'ajouter sur ce pain et ce beurre, les confitures de la reine dans ce domaine, Christine Ferber, installée à Niedermorschwihr dans le Haut-Rhin.

La suite est tout aussi époustouflante. On se lève de table quelques instants pour assister à la découpe d'un saumon fumé norvégien ou du jambon de Joselito, un jambon d'appellation d'origine de la province de Salamanque en Espagne. À eux seuls, ces deux mets délicats réussissent à mettre vos papilles à l'envers. Il reste encore différents plats inspirés par le patrimoine culinaire de nos voisins italiens ou espagnols puis les fromages de Marie Quatrehomme, maître fromager à Paris, le salpicon de fruits, la coupe de champagne, les religieuses au chocolat au garde-à-vous sur une desserte et enfin le pancake à la marmelade de fruits. Avouez qu'un festival de produits de cette grande qualité, ça ne vous laisse pas de marbre.

L'APPART

▶ TRADITIONNEL

9, rue du Colisée, 8ᵉ
M° Franklin D. Roosevelt (lignes 1, 9)
tél. 01 53 75 42 00
www.l-appart.com
Brunch : dimanche, 12h-15h
Prix : 24,50 et 32€
Réservation : non

Accueil et service	▶ 13
Cadre et animation	▶ 14
Brunch	▶ 14

Ambiance cocooning

Passé dans le giron des Frères Blanc (l'Arbuci, La Fermette Marbeuf, Au Pied de Cochon…), l'Appart n'a heureusement pas subi de changement. Comme son nom l'indique, nous nous retrouvons dans un appartement avec son coin bibliothèque, son sous-sol que certains appellent le cellier et son salon avec cheminée.

Ambiance cocooning assurée. La bonne idée de la maison, c'est l'atelier de pâtisserie pour les enfants. À 13 puis à 14 heures, nos bambins se retrouvent parés d'un tablier et d'une toque et partent pour 45 minutes pendant lesquelles ils vont confectionner des pâtisseries qu'ils pourront rapporter à la maison. Pendant ce temps, les grands se sustentent. Les thés sont de chez Mariage Frères (Marco Polo aux arômes de fruits rouges, Earl Grey à la bergamote…), le chocolat chaud est divin et le café est à volonté. Pour accompagner ces boissons chaudes, confitures, miel et beurre font bon ménage avec les viennoiseries, les mini-ficelles et la moelleuse brioche tranchée.

La suite est tout aussi classique : œufs brouillés nature, aux herbes ou au bacon puis pancake maison avec du sirop d'érable. Les enfants, qui de leur côté ont aussi brunché (steak haché ou saumon avec pommes Pont-Neuf et glace), sont de retour avec leurs trésors gourmands qu'ils se feront une joie de vous faire goûter en fin d'après-midi.

ASIAN
► ASIATIQUE

30, avenue George-V, 8ᵉ
Mᵒ George V (ligne 1)
tél. 01 56 89 11 00
www.asian.fr
BRUNCH : dimanche et jours fériés, 12h-16h
PRIX : 16€ (enfants jusqu'à 12 ans), 32€ (adultes)
RÉSERVATION : conseillée

ACCUEIL ET SERVICE	► 12
CADRE ET ANIMATION	► 15
BRUNCH	► 14

Un espace grandiose pour un dimanche zen

Dépaysement garanti pour les yeux et pour les papilles chez Asian, un espace de 1 500 m² entièrement dédié à l'Asie. Entrez, c'est subjuguant. Les couleurs, brun, rouge, or, apaisent et donnent presque envie de s'assoupir alors que l'on sort à peine du lit. Dans cet espace grandiose se côtoient une forêt de bambous, des bougies, des tissus suspendus, des meubles traditionnels. Vous vouliez un dimanche zen, vous l'avez. Sauf et c'est le point noir de la maison, le service. Si l'accueil est charmant, le personnel de salle est quant à

lui légèrement brouillon alors que le brunch est servi en version buffet et que, souvent dans ce cas, le personnel est moins débordé. Ici, il court dans tous les sens mais sans jamais atteindre l'objectif qu'il semble s'être fixé et qu'il est le seul à connaître. Ce qui est certain, c'est qu'il faut parfois faire preuve de patience pour que les tables soient débarrassées.

Sur une grande table nappée de rouge foncé et de blanc, les grandes spécialités de Thaïlande, d'Indonésie ou du Viêtnam vous attendent après les boissons chaudes et le jus de fruits frais. Rouleaux de printemps, brochettes de poulet, de saumon, pâtés impériaux, beignets frits, soupes aux raviolis, le tout à accompagner de riz parfumé ou de légumes sautés. Dans chaque assiette, de nouveaux parfums viennent mettre vos sens en alerte. Même le flan au coco pourtant si terne à première vue a ce pouvoir. Adresse dépaysante et étonnante surtout pour les enfants qui peuvent participer à des ateliers de calligraphie ou de pliage de papier selon la tradition japonaise.

BERT'S
▶ **TRADITIONNEL**

4, avenue du Président-Wilson, 8ᵉ
M° Alma-Marceau (ligne 9)
tél. 01 47 23 43 37
www.berts.com
BRUNCH : samedi, dimanche et jours fériés, 11h-15h
PRIX : 12,50€
RÉSERVATION : non

ACCUEIL ET SERVICE	▶ 14	
CADRE ET ANIMATION	▶ 15	
BRUNCH	▶ 12	

Manque un peu de fraîcheur…

Ils fleurissent dans Paris comme des coquelicots dans un champ de blé. « Ils », ce sont les cafés Bert's. Si tous proposent le petit-déjeuner, celui de l'avenue du Président-Wilson tente la formule brunch avec plus ou moins de réussite. S'il n'y a rien à redire sur le décor, très contemporain où tout a été pensé pour que vous passiez un bon moment en lisant pléthore de quotidiens et autre mensuels, lové dans un canapé en cuir de type anglais, il y a en revanche quelques points à revoir pour que le brunch soit plus attrayant.

Passons sur le principe du plateau version cafétéria sur lequel le personnel empile tout le contenu de la formule. Ce n'est pas ce qu'il y a de plus gênant et nous savons tous pertinemment en entrant que nous ne sommes pas dans un restaurant. Là où le bât blesse, c'est que l'interminable vitrine qui abrite une multitude de nourritures salées et sucrées ne semble pas franchement réfrigérée, contrairement à celle où sont rangées les boissons. Du coup, la salade de courgettes fait grise mine dans son bol en plastique, le fromage qui l'accompagne a chaud, la roquette essaie de sauver les apparences mais rien n'y fait, le tout est tiède et sans grand intérêt. Même constat pour le fromage blanc, la compote ou la salade de fruits. On les aimerait avec plus de peps, ils sont comme affaissés. Bon point en revanche pour les boissons chaudes à volonté, pour l'orange pressée sous vos yeux et les jus de fruits de la marque Innocent. Le mélange orange, banane et ananas est délicieux et surtout… il est frais !

BUGSY'S
▶ IRLANDAIS

15, rue Montalivet, 8ᵉ
M° Champs-Elysées Clemenceau (lignes 1, 13)
tél. 01 42 68 18 44
Brunch : samedi et dimanche, 12h-17h
Prix : 11€
Réservation : non

Accueil et service	▶ 13
Cadre et animation	▶ 14
Brunch	▶ 12

Pour les amateurs de salé

Niché à deux enjambées du palais de l'Élysée et deux petites foulées du ministère de l'Intérieur, le Bugsy's est un bar, pub, restaurant entièrement décoré par des photos des années 20 sur lesquelles il n'est pas rare de croiser Al Capone et ses amis, sans oublier tous les acteurs qui ont joué de grands rôles d'escrocs ou de gangsters. D'ailleurs, parmi les dernières photos mises en place, on trouve celle d'une partie des acteurs d'*Ocean's Eleven*. Au milieu, un impressionnant bar rectangulaire qui occupe la majeure partie de la pièce.

Derrière le comptoir, ou plutôt, coincé au milieu de ce rectangle, un serveur (le patron ?), qui ressemble étrangement à Phil Collins, s'affaire en jetant un œil sur les écrans de télévision où *SkySport* est allumée en continu. Ici, entre 12 heures et 17 heures, pas de jus de fruits, pas de viennoiseries et encore moins de café, on entre directement dans le vif du sujet, l'irish breakfast. Haricots blancs et sauce tomate, boudin blanc, bacon, tomates, champignons, deux œufs au plat, pommes de terre et toasts composent cette formule bien connue par ceux qui apprécient le *Bed & Breakfast*. Bon et copieux mais réservé aux amateurs de salé.

CAFÉ DU MUSÉE JACQUEMART-ANDRÉ ★

▶ TRADITIONNEL

158, boulevard Haussmann, 8ᵉ
Mº Saint-Philippe-du-Roule (ligne 9)
tél. 01 45 62 11 59
www.musee-jacquemart-andre.com
BRUNCH : dimanche, 11h-15h
PRIX : 24€
RÉSERVATION : indispensable

ACCUEIL ET SERVICE	▶ 14
CADRE ET ANIMATION	▶ 16
BRUNCH	▶ 15

Du classique dans une magnifique demeure

Après le musée de la Vie romantique (Paris 9ᵉ) qui, à notre plus grand regret, a arrêté de proposer le brunch, espérons que le Café du musée Jacquemart-André continuera longtemps à nous régaler le dimanche. En effet, le moment passé dans cet endroit laisse un souvenir impérissable. Accessible indépendamment du musée, il occupe l'ancienne salle à manger de cette demeure de collection-neurs (Édouard André et Nélie Jacquemart) léguée ensuite à l'Institut de France pour en faire un musée.

Sous le plafond peint par Tiepolo, on se délecte d'un brunch traditionnel qui, étrangement, devient ici particulier alors que le contenu de l'assiette est très classique. Thé, café ou chocolat précèdent le jus d'orange frais et la corbeille du boulanger (un peu chiche cependant). Certains n'hésitent pas à glisser l'œuf cocotte aux fines herbes dans les salades mêlées. Quant à la salade de pommes terre à l'aneth, elle se faufile à côté du saumon. Il faut ensuite se lever pour découvrir le chariot de desserts où trônent toutes sortes de gâteaux dignes des plus grands salons de thé.

Entre nous, demandez une table en terrasse (chauffée en hiver), elle donne sur la cour d'honneur d'une beauté que l'on ne peut pas deviner quand on se promène sur le boulevard Haussmann. En partant, installez-vous quelques instants sur le banc et admirez cette demeure… et restez si le cœur vous en dit. Personne ne vous le reprochera.

DOOBIE'S
► COSMOPOLITE

2, rue Robert-Estienne, 8ᵉ
M° George V (ligne 1)
tél. 01 53 76 10 76
BRUNCH : dimanche, à partir de 12h
PRIX : 28€
RÉSERVATION : indispensable

ACCUEIL ET SERVICE	► 13
CADRE ET ANIMATION	► 13
BRUNCH	► 15

Pantagruélique

Jus de fruits, boissons chaudes, viennoiseries, pâtisseries, différents pains toastés, confitures, miels, céréales, saumon et harengs fumés, sushis, bacon, saucisses, poulet au soja, salade de pâtes ou de légumes, pizzas, quiches, légumes séchés et marinés, œufs brouillés, plateau de fromages, salade de fruits, fruits frais de saison… vous en voulez encore ? Vous l'aurez compris, le brunch-buffet du célèbre Doobie's est pantagruélique.

Dans ce bar branché du 8ᵉ arrondissement, une clientèle de bonne famille se donne rendez-vous chaque dimanche et si le bruit ambiant généré par tout ce petit monde peut parfois agacer, on évite tout de même le « m'as-tu-vu » de quelques adresses voisines.

Si la formule buffet a ses copieux avantages, il faut pour l'apprécier accepter les incessants allers-retours table-buffet-table qui peuvent finir par être fatigants et passablement lassants surtout quand on se réveille et que l'on aspire à une seule chose, du calme. Côté service, il faut admettre que les jolies jeunes filles qui officient sont souvent débordées. Pour faire passer la pilule, elles sortent leur plus beau sourire… et ça marche !

EK
▶ **TRADITIONNEL**

*85, boulevard Malesherbes, 8*ᵉ
M° Saint-Augustin (lignes 9, 12, 13, 14)
tél. 01 45 22 70 30
BRUNCH : du lundi au samedi, 7h-12h
PRIX : 10 €
RÉSERVATION : non

ACCUEIL ET SERVICE	▶ **12**
CADRE ET ANIMATION	▶ **13**
BRUNCH	▶ **14**

Adresse prise d'assaut

Éric Kayser, le célèbre boulanger de la rue Monge, a ouvert différents points de vente dans Paris et parmi ses récentes créations, celle du boulevard Malesherbes tente l'aventure du brunch, ou plutôt du petit-déjeuner. Libre à vous ensuite de compléter la formule petit-déjeuner par des plats salés pour au final obtenir un brunch.

À côté de l'espace vente, Éric Kayser a conçu une salle moderne prise d'assaut dès le matin (nous sommes dans un quartier de bureaux) et qui continue de recevoir du monde à l'heure du déjeuner. À cette heure-là, vous aurez déjà quitté les lieux si vous êtes un adepte du brunch, non sans avoir dégusté la corbeille de viennoiseries et de petits pains parfumés (inutile de vous dire qu'ils sont délicieux, Éric Kayser fait partie du gratin des boulangers de la capitale), le beurre, les confitures et avalé votre boisson chaude et votre jus d'orange.

Si vous souhaitez qu'une note salée vienne taquiner votre palais, il vous faudra débourser 4,80 € pour deux œufs à la coque et leurs mouillettes, la même somme pour deux œufs au plat, 6,30 € si vous les préférez brouillés ou 7,80 € si vous les voulez en omelette avec du jambon et du fromage. Avec un pain perdu et une salade de fruits, ce sont 7,30 € qui s'ajoutent, soit au final une addition qui avoisine les 23 € (formule + œufs + dessert), ce qui correspond à la moyenne parisienne des brunchs, qualité comprise.

FINDI ★

▶ **ITALIEN**

24, avenue George V, 8ᵉ
Mᵒ George V (ligne 1)
tél. 01 47 20 14 78
www.findi.net
BRUNCH : dimanche, 12h-15h
PRIX : 25€
RÉSERVATION : conseillée

ACCUEIL ET SERVICE	▶ 14
CADRE ET ANIMATION	▶ 15
BRUNCH	▶ 15

À la hauteur de sa réputation

Ce n'est pas ici que nous viendrions spontanément au saut du lit, mais force est de constater que le brunch de Findi est presque irréprochable. Ce restaurant de cuisine italienne, largement salué par tous les guides gastronomiques pour son accueil, son décor et ses spécialités de la botte, a donc, lui aussi, succombé aux sirènes du brunch.

Si nous n'apprécions que très peu les petits pots de confiture Saint Mamet ou Gilbert qui font tache au milieu d'une table élégamment dressée, le reste de la formule est remarquable. La corbeille de pains est d'une fraîcheur incontestable, sauf le panettone jugé trop sec, l'assiette d'antipasti titille gentiment vos papilles, surtout la mozzarella, fondante à souhait. Viennent ensuite les œufs brouillés, nature ou aux fines herbes. Copieux. Servis dans une assiette initialement destinée aux pâtes, ils sont décorés avec quelques feuilles de basilic entières. Un détail qui fait tout la différence et qui confirme que la maison est à la hauteur de sa réputation.

Après une salade de fruits (pommes, mangues, framboises), on s'accorde quelques minutes supplémentaires pour écouter la compilation Findi avant de rejoindre le monumental escalier et de retrouver la lumière du jour. Vous l'aurez compris, le restaurant est en sous-sol.

LE FLORA DANICA ★

► SCANDINAVE

142, avenue des Champs-Élysées, 8ᵉ
M° George V (ligne 1)
tél. 01 44 13 86 26
www.restaurantfloradanica.com
BRUNCH : dimanche et jours fériés, 12h-16h30
PRIX : 35€
RÉSERVATION : conseillée

ACCUEIL ET SERVICE	► 15
CADRE ET ANIMATION	► 14
BRUNCH	► 15

Coup de cœur pour un brunch différent

Créée en 1955, la Maison du Danemark sur les Champs-Élysées est la prestigieuse vitrine de l'art de vivre de ce royaume. Récemment rénovée, cette ambassade gourmande abrite trois savoureux espaces. La Butik (vente à emporter), le Copenhague (restaurant gastronomique) et Le Flora Danica qui ouvre ses portes le dimanche pour un brunch scandinave présenté sous forme de buffet. Imaginé par la décoratrice Claire Euvrard, ce restaurant avec ses jardins suspendus, sa terrasse et ses banquettes cosy fait l'unanimité, surtout auprès des amateurs de design. Danois jusqu'au bout des ongles, Le Flora Danica ne change pas ses habitudes pour le brunch et ce sont donc des saveurs scandinaves qui vous attendent, même si quelques spécialités françaises s'incrustent régulièrement sur le buffet comme cette salade de lentilles au magret de canard ou la salade de haricots verts aux champignons de Paris.

Pour le reste, le saumon est bien évidemment à l'honneur, fumé, en carpaccio, ou mariné et servi avec une sauce à la moutarde douce. Cependant, la gastronomie scandinave ne se résume pas au saumon. Au contraire, c'est aussi le cocktail de crevettes aux épices douces, le jambon de Skagen proposé avec du bleu danois et des noix ou le bœuf mariné à la viking. Sur le buffet, une dizaine de sauces sont proposées, tartare, vinaigrette, balsamique, cressonnière, mais aussi des citrons, de l'huile d'olive et des coupelles d'herbes fraîches. Nage de fruits à la badiane, crumble aux pommes, carpaccio d'ananas, tartes aux poires sont là pour apporter une note sucrée fort agréable.

Un vrai coup de cœur pour un brunch différent, tout en saveurs et en parfums inhabituels.

HYATT REGENCY PARIS-MADELEINE ★

► LUXE

24, boulevard Malesherbes, 8ᵉ
Mᵒ Saint-Augustin (lignes 9, 12, 13, 14)
tél. 01 55 27 12 34
www.paris.madeleine.hyatt.com
BRUNCH : samedi et dimanche, 10h-14h30
PRIX : 36 ou 48€
RÉSERVATION : conseillée

ACCUEIL ET SERVICE	► 15
CADRE ET ANIMATION	► 15
BRUNCH	► 15

Sous une somptueuse verrière

Immeuble haussmannien, équipement ultramoderne, ce très bel hôtel est doté de deux restaurants, le Café M et la Chinoiserie. C'est dans ce dernier situé non loin du bar qu'est servi le brunch que l'on déguste sous une somptueuse et gigantesque verrière… classée ! Passage obligé par le buffet avant d'attaquer le plat principal.

Café Illy, thés de chez Hédiard, chocolat chaud Valrhona, les beaux produits sont au rendez-vous sans oublier d'excellentes viennoiseries, des pains spéciaux et, pour notre plus grand bonheur, les fameux cannelés de Bordeaux. À leurs côtés, un bel assortiment de céréales, des salades de fruits frais, du saumon fumé d'Écosse, du jambon Serrano et des yaourts. Ce n'est qu'après cette avalanche de gourmandises que vous pourrez savourer le plat principal qui varie en fonction du marché et de la carte du chef.

Parmi les récentes propositions, suprême de pintade fermière au citron confit et mousseline de petits pois, risotto « Arborio » à la truffe et jus de volaille au curcuma ou plus simplement mais diaboliquement délicieux, les œufs brouillés, bacon, tomates ou herbes. Si cela vous tente, laissez-vous séduire par une coupe de champagne (brunch à 48 €) avec au choix du Roederer, du Billecart-Salmon ou du Moët & Chandon… et puis pourquoi pas un dernier cannelé ? Organisation régulière d'un brunch littéraire animé par Gonzague Saint-Bris.

LADURÉE ★

▶ **TRADITIONNEL**

16, rue Royale, 8ᵉ
M° Madeleine (lignes 8, 12, 14)
tél. 01 42 60 21 79
www.laduree.fr
BRUNCH : samedi, dimanche et jours fériés, 10h-15h30
PRIX : 29€
RÉSERVATION : conseillée

ACCUEIL ET SERVICE	▶ 15
CADRE ET ANIMATION	▶ 14
BRUNCH	▶ 14

Papilles au septième ciel

Aucune fausse note pour le brunch de Ladurée. Un accueil exquis, un personnel d'une courtoisie exemplaire, aux petits soins pour une clientèle variée qui, contrairement à ce que nous pourrions imaginer, n'est pas composée exclusivement de touristes. Au rez-de-chaussée ou au premier étage, dans un décor de boiseries et de fresques où s'épanouissent anges pâtissiers et femmes gourmandes, on savoure un brunch d'un excellent rapport qualité-prix. Il existe sur Paris une multitude d'adresses qui proposent des brunchs pour 4 ou 5 € de moins mais pour une qualité bien inférieure.

Premier signe, le beurre. Signé Pascal Beillevaire, fromager-affineur en Loire-Atlantique, l'un des meilleurs de France, il se tartine sur des petits pains ronds qui précèdent l'arrivée du café, de l'orange pressée et des viennoiseries dont un croissant au sucre glace. Du pur bonheur. Mais si le beurre n'est pas votre ami, laissez-vous séduire par les confitures (de fraises et d'abricots) et le miel de forêt, vos papilles seront au septième ciel. Viennent ensuite les œufs brouillés et les sandwichs du moment, saumon et roquette et jambon-crudités ou fromage blanc, préparés avec du pain brioché. Dieu que c'est bon.

Pour conclure et personne n'imagine quitter cette maison sans eux... les macarons. Ils arrivent au nombre de trois, sans bruit, l'épaisseur de la moquette sans doute. Nous ne vous apprenons rien en vous annonçant qu'ils sont divins.

LE LIBRE SENS ★
▶ TRADITIONNEL

33, rue Marbeuf, 8ᵉ
M° Franklin D. Roosevelt (lignes 1, 9)
tél. 01 53 96 00 72
BRUNCH : dimanche, 12h- 16h
PRIX : 19€
RÉSERVATION : conseillée

ACCUEIL ET SERVICE	▶ 15
CADRE ET ANIMATION	▶ 14
BRUNCH	▶ 13

Ambiance jazz en live

L'ancien Korova, après son retentissant dépôt de bilan, s'est donc transformé en Libre Sens, restaurant surfant de belle manière sur la vague cuisine « branchouille » world. Compte tenu de l'emplacement, nous aurions pu imaginer que les nouveaux propriétaires allaient nous infliger un brunch à un prix à faire pâlir notre carte bleue. Il n'en est rien et la surprise est de taille.

Pour 19€, Le Libre Sens, dans son cocon rouge et violet, propose chaque dimanche un brunch digne de ce nom où créativité et fraîcheur sont au rendez-vous, à commencer par les jus de fruits pressés à la demande, le cake aussi moelleux qu'un oreiller, le pain et la salade de fruits. Les autres gourmandises ne sont pas en reste. Les confitures de figues ou d'oranges cuites au chaudron changent des sempiternelles confitures de fraises ou d'abricots, les pommes de terre grenaille servies dans un bol et assaisonnées de gros sel se marient à merveille avec le saumon fumé et sa crème à la ciboulette ou les trois œufs sur le plat à moins que vous ne les préfériez brouillés.

Seul bémol, le thé en sachets sans grand intérêt. Dommage, quand on sait que la maison peut proposer du thé de chez Mariage Frères… le barman nous l'a avoué mais tardivement. Service souriant et aimable. Ambiance jazz en live qui a la particularité de ne pas vous exploser les tympans.

MARIAGE FRÈRES
► COSMOPOLITE

260, rue du Faubourg-Saint-Honoré, 8ᵉ
M° Ternes (ligne 2)
tél. 01 46 22 18 54
www.mariagefreres.fr
BRUNCH : tous les jours, 12h-19h
PRIX : de 26 à 38€
RÉSERVATION : conseillée

ACCUEIL ET SERVICE	► 13
CADRE ET ANIMATION	► 14
BRUNCH	► 14

Un peu cher

Dernière-née des boutiques Mariage Frères, cette adresse se diffé-rencie de ses consœurs par un brunch que l'on peut considérer comme plus relevé même si nous maintenons que les prix pratiqués sont trop élevés.

La formule à 26 € est la même que celle proposée dans le Marais ou à Saint-Germain à savoir, jus de fruits, thé, toast brioché et gelée de thé, œufs brouillés au saumon fumé et crevettes puis dessert. Pour 4 € de plus, les œufs brouillés sont remplacés par une mêlée de légumes coupés en dés présentés dans un sirop de tomates. Pour 35 €, le chef propose en plat principal un croustillant de crabe à la crème fraîche au thé et légumes croquants. Enfin, pour 38 €, c'est un filet de thon mi-cuit au sésame et au thé vert accompagné de pois gourmands qui est proposé.

À qualité égale, ce guide regorge d'adresses moins chères et plus copieuses.

LE MARKET

▶ COSMOPOLITE

15, avenue Matignon, 8ᵉ
M° Franklin D. Roosevelt (lignes 1, 9)
tél. 01 56 43 40 90
BRUNCH : samedi et dimanche, 12h-18h
PRIX : 16 ou 32€
RÉSERVATION : conseillée

ACCUEIL ET SERVICE	▶ 15
CADRE ET ANIMATION	▶ 14
BRUNCH	▶ 10

Où est le brunch ?

C'est annoncé comme un brunch mais ça n'a rien d'un brunch et c'est désolant. Alors certes, la maison pourra toujours se targuer de ne pas vouloir proposer un brunch comme les autres, mais de là à vous mettre sous le nez la carte du restaurant et vous expliquer que si vous prenez une assiette (c'est 16 €) ou deux assiettes (32 €) choisies dans une liste de propositions qui sont celles habituellement servies le reste de la semaine, avouez qu'il y a de quoi rester pantois. Il y a bien des œufs Benedict (10 €), un cheeseburger grillé et des pommes frites (16 €), une omelette au gruyère et une salade de mesclun (10 €) mais où sont les viennoiseries, les jus de fruits, le café ? Au lieu de ça, on se retrouve devant une soupe de poulet au lait de coco, un saumon mi-cuit et une purée de fèves ou un tartare de thon mariné au gingembre.

Dommage car le lieu est épatant et le personnel, tout de noir vêtu, d'une gentillesse et d'une politesse tout à fait remarquables. Navrant !

LE PERSHING HALL ★★
► COSMOPOLITE

49, rue Pierre-Charron, 8ᵉ
M° George V (ligne 1)
tél. 01 58 36 58 36
BRUNCH : dimanche, 11h30-17h
PRIX : 35€
RÉSERVATION : conseillée

ACCUEIL ET SERVICE	► 17	
CADRE ET ANIMATION	► 16	
BRUNCH	► 14	

Bercé par une chanteuse et son guitariste...

Cet ancien hôtel particulier abrite aujourd'hui un restaurant, un lounge, des salons de réception, un spa et une salle de fitness réservée aux clients de l'hôtel. C'est dans le patio verdoyant au vertigineux jardin vertical habité par des oiseaux que vous savourerez un agréable brunch à la fois classique et traditionnel mais varié. Quatre

formules sont servies par un personnel aussi discret que distingué, si discret que l'on se demande s'il n'est pas monté sur des coussins d'air.

Pendant que vous savourez la base commune aux formules, à savoir le jus de fruits, le thé ou le café, la coupelle de fruits frais (raisins et clémentines) et de fruits secs (abricots et figues), et avant que n'arrivent la salade de nouilles thaïes, le saumon, les pâtes au poulet et aux herbes..., l'animation musicale se met doucement en place.

Lors de notre visite, une chanteuse à la voix exceptionnelle et son guitariste tout aussi talentueux accompagnaient notre dégustation sans pour autant nous déranger. Comme une sorte de fond musical qui continue de bercer ceux qui viennent de s'extirper de leur couette. Le calme avant la tempête ? Que nenni. Étrangement, alors que nous sommes à deux enjambées des bruyantes avenues des Champs-Élysées et George-V, le Pershing Hall semble protégé par une bulle. Qui s'en plaindrait ?

LE SAFRAN
HÔTEL HILTON ARC DE TRIOMPHE ★
► TRADITIONNEL

51-57, rue de Courcelles, 8ᵉ
M° Courcelles (ligne 2)
tél. 01 58 36 67 00
www.hilton-paris.com
BRUNCH : samedi et dimanche, 12h-15h
PRIX : 39€
RÉSERVATION : conseillée

ACCUEIL ET SERVICE	► 15
CADRE ET ANIMATION	► 15
BRUNCH	► 14

Avec le spa en prime

Ouvert au printemps 2004, cet hôtel d'exception situé à deux pas du parc Monceau est une vraie réussite architecturale qui fait revivre les grandes heures des paquebots transatlantiques. Pour s'en convaincre, il suffit d'admirer le gigantesque escalier ou de se rendre au restaurant Le Safran avec sa grande salle aux larges baies vitrées qui donnent sur des terrasses, véritables petits havres de paix et de nature.

Comme dans beaucoup d'hôtels, le brunch se présente sur des buffets. Sur le premier, toutes les gourmandises d'un petit-déjeuner réussi sont présentes : différents jus de fruits, pains et viennoiseries. Sur le second, des crudités, des poissons fumés (saumon, haddock), mais aussi du homard, des plats chauds (risottos, gratins, viandes) et un plateau de fromages variés. Le clou du spectacle est sans aucun doute la pièce de bœuf rôtie que personne ne délaisse et les desserts vers lesquels tout le monde converge.

Si harmonie, détente et bien-être sont au rendez-vous de ce brunch, ils le sont aussi au Spa Mosaïc que vous pouvez vous offrir avant ou après le brunch. Une idée cadeau à méditer.

SPICY
▶ TRADITIONNEL

8, avenue Franklin-Roosevelt, 8ᵉ
M° Franklin D. Roosevelt (lignes 1, 9)
tél. 01 56 59 62 59
www.spicyrestaurant.com
BRUNCH : dimanche, 12h-16h
PRIX : 15€ (enfants), 28€ (adultes)
RÉSERVATION : conseillée

ACCUEIL ET SERVICE	▶ 14	
CADRE ET ANIMATION	▶ 14	
BRUNCH	▶ 12	

Animations pour les enfants

Une élégante adresse à deux pas du rond-point des Champs-Élysées. Le décor de boiseries claires, de murs de briques et de tissus dans les tons rouges donnent au lieu une vraie chaleur reposante. La quiétude est de mise, surtout pour les parents accompagnés d'enfants qui peuvent les confier au clown Cookie qui les prend en charge autour d'ateliers de dessin, de maquillage ou de jeux musicaux.

Hamburger, poulet ou pavé d'espadon suivis d'un gâteau au chocolat, d'une brioche ou d'une glace sont au menu des gourmandises enfantines. De leur côté, les parents attaquent les viennoiseries, les confitures et le beurre… salé (suffisamment rare à Paris pour être souligné). La suite est variable en fonction des produits du moment. L'assiette testée, œufs brouillés, salade, jambon, chèvre frais au pistou, saumon et tartare de légumes, est savoureuse mais tous ces produits les uns à côté des autres ne forment pas une élégante présentation et donne plutôt une impression de cuisine d'assemblage qui manque de personnalité.

Le dessert en revanche, pour les vrais gourmands, est un délice : une brioche façon pain perdu et son caramel au beurre salé, servie avec une glace à la vanille. C'est assez commun mais ça reste un classique qui ne laisse personne indifférent.

LE VILLAGE
► TRADITIONNEL

25, rue Royale, 8ᵉ
M° Madeleine (lignes 8, 12, 14)
tél. 01 40 17 02 19
BRUNCH : du lundi au samedi, 8h-11h30
PRIX : 18 et 20€
RÉSERVATION : non

ACCUEIL ET SERVICE	► 14	
CADRE ET ANIMATION	► 14	
BRUNCH	► 13	

Dans un havre de paix

Quand vous arriverez au 25 de la rue Royale, de Village, vous n'en trouverez point. Pour vous y rendre, il faudra vous glisser dans le passage que certains appellent le Village Royal et que d'autres, plus pragmatiques et adeptes des plans de Paris, nomment la cité Berryer. Un havre de paix qui abrite d'élégantes boutiques de luxe et… le fameux Village qui a rejoint la galaxie des Costes depuis plus d'un an.

Si la première formule ressemble davantage à un copieux petit-déjeuner, la seconde entre dans la catégorie brunch parce qu'elle propose des œufs brouillés au saumon fumé en plus de la boisson chaude, du jus de fruits, du pain, du beurre, de la confiture et du fromage blanc à 0 % de matière grasse.

Nous pourrions donc considérer que le rapport qualité-prix est élevé mais n'oublions pas que nous sommes dans le 8ᵉ, chez les Costes, que le magazine *Palace* vous est offert, que le beurre est d'Échiré, les thés de chez Mariage Frères et les jus de fruits de chez Alain Milliat. Quand on prend ça en compte, on admet le tarif.

ET AUSSI :

L'ATELIER RENAULT
53, avenue des Champs-Élysées, 8ᵉ
M° Franklin D. Roosevelt (lignes 1, 9)
tél. 01 49 53 70 70
www.atelier-renault.com
Prix : 25€

LE BERKELEY
7, avenue Matignon, 8ᵉ
M° Franklin D. Roosevelt (lignes 1, 9)
tél. 01 42 25 72 25
Prix : 28€

HOUSE OF LIVE
124, rue de la Boétie, 8ᵉ
M° Franklin D. Roosevelt (lignes 1, 9)
tél. 01 42 25 18 06
Prix : 13 et 17€

IMPALA LOUNGE
2, rue de Berri, 8ᵉ
M° George V (ligne 1)
tél. 01 43 59 12 66
Prix : 17€

LE JARDIN DES CYGNES
HÔTEL PRINCE DE GALLES
33, avenue George V, 8ᵉ
M° George V (ligne 1)
tél. 01 53 23 77 77
Prix : 55€

PDG
20, rue de Ponthieu, 8ᵉ
M° Franklin D. Roosevelt (lignes 1, 9)
tél. 01 42 56 19 10
Prix : 25€

RENOMA CAFÉ GALLERY
32, avenue George V, 8ᵉ
M° George V (ligne 1)
tél. 01 47 20 46 19
Prix : 28€

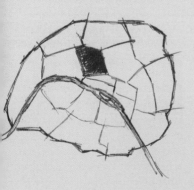

ARRONDISSEMENT **9**

CAFÉ ZÉPHYR

▶ **TRADITIONNEL**

12, boulevard Montmartre, 9ᵉ
Mᵒ Grands Boulevards (lignes 8, 9)
tél. 01 47 70 80 14
BRUNCH : samedi, dimanche et jours fériés, 9h-15h
PRIX : 17€
RÉSERVATION : non

ACCUEIL ET SERVICE	▶ 14
CADRE ET ANIMATION	▶ 12
BRUNCH	▶ 13

Une adresse à adopter

Ambiance décontractée dans ce café qui ne se la raconte pas. La bonne humeur est relayée par des serveurs habillés d'une salopette noire et d'une chemise de même couleur qui tranche avec le foulard rouge noué autour du cou. Entre eux, c'est à celui qui vannera le plus son collègue, sous les yeux des grands-parents du patron encadrés au-dessus du bar. Nostalgie, quand tu nous tiens !

À côté du billard, en salle ou sur la terrasse, le brunch est à classer dans la famille des grands classiques mais avec un côté rustique que beaucoup n'ont pas. Ce jour-là, plus de croissants et personne pour aller en chercher ou pour proposer autre chose à la place. On paiera donc le prix habituel mais sans le croissant. L'assiette, qui suit le double café, l'orange pressée, l'épouvantable confiture d'abricots Saint Mamet, est composée d'œufs brouillés servis avec une épaisse tranche de bacon mais surtout avec une saucisse et de la truffade. Voilà qui tient au corps pour le restant de la journée, d'autant qu'il reste encore à avaler un ramequin de faisselle et une vraie salade de fruits composée de pommes, de kiwis et d'oranges.

Si ça n'a rien d'extraordinaire, l'ambiance est telle que l'on finit par adopter l'adresse et ce malgré le bruit du boulevard.

FUXIA
▶ **ITALIEN**

25, rue des Martyrs, 9ᵉ
M° Saint-Georges (ligne 12)
tél. 01 48 78 93 25
BRUNCH : samedi et dimanche, 11h30-18h
PRIX : 17€
RÉSERVATION : non

ACCUEIL ET SERVICE	▶ **14**	
CADRE ET ANIMATION	▶ **13**	
BRUNCH	▶ **14**	

La place y est rare

Abondance, tel est le maître mot de Fuxia, une adresse qui ne désemplit jamais quel que soit le jour de la semaine. Ici, l'agréable personnel vous apporte en une seule fois toutes les gourmandises prévues dans la formule. À vous ensuite de choisir l'ordre dans lequel vous souhaitez avaler cette liste de produits salés et sucrés.

Au programme, boissons chaudes, jus d'orange ou de citron fraîchement pressés, fromage blanc, salade de fruits, tartines, beurre et confiture, puis la grande assiette d'antipasti sur laquelle se retrouvent toutes les spécialités qui font le succès de la maison : salade, charcuterie, tomates cerises ou séchées, fromages… C'est frais comme la rosée du matin et l'on prend tout son temps pour déguster.

Malheureusement, on prend aussi tout son temps pour attendre qu'une place se libère.

NO STRESS CAFÉ
▶ TRADITIONNEL

2, place Gustave-Toudouze, 9ᵉ
M° Saint-Georges (ligne 12)
tél. 01 48 78 00 27
BRUNCH : dimanche, 12h-16h
PRIX : 22€
RÉSERVATION : non

ACCUEIL ET SERVICE	▶ 12
CADRE ET ANIMATION	▶ 12
BRUNCH	▶ 11

Ne vous fiez pas à l'enseigne !

Avec un nom pareil, on s'attend à un lieu où règne la plénitude, où la musique est douce, l'accueil roucoulant, les serveurs aux petits soins et où la cuisine est légère comme une bouffée d'oxygène.

Au lieu de ça, on tombe sur une terrasse bondée couverte par un auvent vert fluo, où ça piaille dans tous les sens alors que les oiseaux le font déjà dans les arbres de la jolie place. Ici, on ne prend pas les réservations. Ça serait tout de même moins stressant de savoir qu'une table nous attend. À la place, une longue file d'attente où les Parisiens patientent sagement. Mais comment font-ils pour accepter d'être traités de cette manière ? Par obligation, nous restons en demandant de temps à autre la durée approximative de notre attente. À question idiote, réponse limite aimable : *« Ben, j'en sais rien »*. Ambiance ! Quarante minutes plus tard et délesté de 22€, vous pourrez commenter le contenu de ce brunch : viennoiseries, boisson chaude, œufs brouillés au bacon et au saumon servis avec des potatoes et faisselle au miel.

Conclusion, on peut trouver plus copieux et à prix égal à commencer par le voisin, le Tea Folies. Ça coûte 1€ de plus mais c'est incomparable à tous points de vue.

LE PAPRIKA
▶ **TRADITIONNEL**

28, avenue Trudaine, 9ᵉ
M° Pigalle (lignes 2, 12)
tél. 01 44 63 02 91
www.le-paprika.com
BRUNCH : dimanche, 10h-17h
PRIX : 10€, 15 et 18€
RÉSERVATION : non

ACCUEIL ET SERVICE	▶ 15
CADRE ET ANIMATION	▶ 12
BRUNCH	▶ 12

La table hongroise de Paris

C'est l'une des rares tables de cuisine hongroise de la capitale. Du moins, pour tous les critiques gastronomiques, Le Paprika, c'est LA table hongroise de Paris. Elle est tenue par Lázló (le prénom masculin le plus répandu en Europe centrale) et la délicieuse et toujours souriante Dominique-Hélène Rollet que l'on retrouve derrière les fourneaux.

Cependant, à l'heure du brunch, la cuisine hongroise perd du terrain au profit de plats plus conventionnels. Vous pouvez certes vous régaler d'une crêpe de Hortobágy (farcie d'une moulinade de veau et d'une sauce au paprika) ou d'un goulasch de veau, mais vous passeriez à côté des excellentes viennoiseries, des œufs brouillés nature ou au saumon sans oublier les boissons chaudes et les jus de fruits. La solution idéale, venir à plusieurs et jouer à « *Fais-moi goûter tes œufs brouillés, je te donnerai un peu de mon filet de bœuf aux morilles et au foie gras et une becquée de mon strudel aux griottes et aux zestes de citron* ».

La gentillesse du personnel et des propriétaires est un exemple à suivre pour beaucoup de leurs confrères.

ROSE BAKERY

► À LA CARTE

46, rue des Martyrs, 9ᵉ
Mᵒ Saint-Georges (ligne 12)
tél. 01 42 82 12 80
BRUNCH : samedi, dimanche et jours fériés, 9h-17h
PRIX : de 19 à 45€
RÉSERVATION : non

ACCUEIL ET SERVICE	► 13
CADRE ET ANIMATION	► 13
BRUNCH	► 14

Succulent et original

« Quoi, tu ne connais pas Rose Bakery ? Mais c'est le brunch tendance du moment, il faut absolument que tu y ailles, c'est géniiaaaallll ! » Oui effectivement, c'est bien mais on a connu mieux, moins cher et tout aussi bon. C'est que le bio, dans cet ancien atelier aux murs blancs parsemés de traits de couleur qui semblent avoir été faits au rouleau, ça se paie. Sans réservation possible, on se pointe en espérant décrocher un coin de table au milieu d'adorables Anglais en mal du pays et quelques bobos lecteurs assidus des rubriques tendance de la presse parisienne.

Avec son étalage de produits « organic », les boîtes d'œufs frais et le meuble où sont disposés les salades, les pâtisseries et les cakes, l'adresse donne envie de passer à table. Globalement, c'est succulent, original mais, parce qu'il y a un mais, ça manque un peu de chaleur, c'est exigu, le service british pur royaume est vite débordé et l'absence de formule à prix fixe vous oblige à calculer le montant final de votre brunch. Et comme vous avez envie de manger tout ce qu'il y a à la carte, vous pouvez vite vous retrouver au moment de partir avec une note à faire trembler votre banquier.

Si vous estimez qu'un brunch ne doit pas dépasser 25 € en moyenne, optez pour un jus de pamplemousse fraîchement pressé (4 €), du muesli avec pommes, amandes, miel et yaourt (7,50 €), des œufs brouillés à la tomate (8,50 €) et un cake du comptoir, en l'occurrence un carrot cake (6 €). Vous en êtes déjà à 26 € et vous n'avez pas bu de café ou de thé. Dommage, ils sont servis dans une jolie vaisselle en grès.

TEA FOLIES
► **COSMOPOLITE**

> *6, place Gustave-Toudouze, 9ᵉ*
> *M° Saint-Georges (ligne 12)*
> *tél. 01 42 80 08 44*
> BRUNCH : *samedi, dimanche et jours fériés, 9h-17h*
> PRIX : *23€*
> RÉSERVATION : *conseillée*

ACCUEIL ET SERVICE	► 13	
CADRE ET ANIMATION	► 12	
BRUNCH	► 14	

Une valeur sûre

L'adresse a toujours autant de succès. Tout le quartier s'y donne rendez-vous à l'heure du brunch, en terrasse pour profiter de ce havre de paix qu'est la place Gustave-Toudouze (romancier et journaliste du XIXᵉ siècle), ou dans les deux salles, l'une étant réservée aux non-fumeurs.

Si la qualité du brunch est indéniable, nous avons regretté le côté mécanique du service. Nous avons ressenti une certaine lassitude dans leurs gestes, leurs propos, leurs sourires. La décontraction de la clientèle devrait pourtant permettre au personnel de « s'amuser ». Ici, personne ne juge, on connaît la maison, on fait confiance aux cuisiniers, on sait qu'il sera difficile de trouver une critique. Nous en avons une, minime certes mais justifiée. Pourquoi servir du pain perdu sucré dans une assiette où se mélangent salade, tomates cuites au four, fromage, jambon blanc, saumon fumé et œufs brouillés ? Cette petite gourmandise serait la bienvenue servie à part quelques minutes avant l'addition, histoire de partir avec le bec sucré.

Les tartines, le pain brioché, les scones maison, le jus de pamplemousse sont irréprochables. Une valeur sûre qui a juste besoin de retrouver le sourire.

LA TÊTE À L'ANVERS
► BUFFET

70, rue de Dunkerque, 9ᵉ
M° Anvers (ligne 2)
tél. 01 44 53 00 83
BRUNCH : samedi, dimanche et jours fériés, 11h-15h
PRIX : 17,50 €
RÉSERVATION : non

ACCUEIL ET SERVICE	► 11
CADRE ET ANIMATION	► 9
BRUNCH	► 11

À revoir

Si le comptoir-vitrine de ce salon de thé est à croquer avec cet étalage de gourmandises sucrées et salées (tarte Tatin, cakes, muffins, bretzels au chèvre, quiche au saumon ou à l'oseille), le reste du lieu est d'une banalité à vous mettre le bourdon pour le reste de la journée. Le mur en trompe l'œil prête à sourire, quant aux tables et aux chaises, elles sont d'une époque indéfinissable mais surtout, elles commencent sérieusement à fatiguer.

Dans cet espace d'une vingtaine de places où il faut parfois jouer des coudes, un brunch est proposé le week-end sous forme de buffet dressé à gauche en entrant. Servi à volonté, il permet à chacun de manger à sa faim et en fonction de ses envies. Sur un tout petit périmètre, sont disposés les thermos de boissons chaudes, les jus de fruits et des plats et des saladiers qui regorgent de charcuteries, de fromages, de viennoiseries, de salades, de cakes et de fruits.

Avec un peu plus de charme et un service moins timide, ce salon de thé pourrait être un joli lieu de rendez-vous. Ce n'est franchement pas le cas pour le moment.

LE VALENTIN
► TRADITIONNEL

30, passage Jouffroy, 9ᵉ
M° Grands Boulevards (lignes 8, 9)
tél. 01 47 70 88 50
BRUNCH : tous les jours, 9h30-16h
PRIX : 12,50€
RÉSERVATION : conseillée

ACCUEIL ET SERVICE	► 12
CADRE ET ANIMATION	► 13
BRUNCH	► 13

Mérite le détour

Construit en 1847 dans le prolongement des passages Verdeau et des Panoramas, le passage Jouffroy abrite de beaux magasins dont Le Valentin, une pâtisserie-chocolaterie devant laquelle on ne peut pas rester insensible. La boutique, qui fait aussi salon de thé, regorge de confitures, de tablettes de chocolat, de religieuses, de mousses de fruits et de bonbons. Un paradis pour les becs sucrés.

À l'étage ou au rez-de-chaussée, on sert le brunch à toute heure ou, du moins, jusqu'à ce qu'il reste des viennoiseries. Problème, tout arrive en même temps. On est donc obligé d'attaquer d'abord le plat chaud, en l'occurrence les filets de bacon grillés et l'œuf au plat servi sur un lit de salade verte et de carottes râpées. Ce n'est qu'après que l'on déguste le volumineux pain au chocolat ou le croissant, puis les tranches de pain aussi qualitatives que quantitatives sur lesquelles on tartine avec plaisir les trois confitures maison, marmelade d'oranges, rhubarbe et poire-vanille... mais avec un café qui a profité de l'occasion pour refroidir.

Un service en deux temps paraîtrait plus judicieux et serait moins pénalisant pour une maison qui reste, malgré tout, un très joli point de chute.

ARRONDISSEMENT **10**

CHEZ PRUNE

▶ **COSMOPOLITE**

71, quai de Valmy, 10ᵉ
M° Jacques Bonsergent (ligne 5)
tél. 01 42 41 30 47
Brunch : dimanche, 12h-16h
Prix : 17€
Réservation : non

Accueil et service	▶ 13	
Cadre et animation	▶ 12	
Brunch	▶ 13	

Vue sur le canal Saint-Martin

Ce n'est incontestablement pas le meilleur brunch du quartier, mais l'adresse est tout de même prise d'assaut dès que le quartier se réveille après sa grasse matinée dominicale.

Pour la vue sur le canal Saint-Martin, le silence (les voitures n'ont pas le droit d'emprunter le quai de Valmy le dimanche) et la décontraction d'un personnel souriant, on comprend que le succès soit au rendez-vous. Pas de chichis à l'heure du brunch, une boisson chaude, un jus d'orange puis, au choix, une assiette de saumon avec des œufs brouillés ou une assiette de jambon de pays avec de la salade et un flan de courgettes. On termine par un cheesecake et comme l'endroit est délicieux, on reste là une bonne partie de l'après-midi entre amis.

Si vraiment on finit par avoir des fourmis dans les jambes, on part pour une promenade le long du canal.

MERCI CHARLIE
▶ TRADITIONNEL

42 bis, boulevard de Bonne-Nouvelle, 10ᵉ
M° Bonne Nouvelle (lignes 8, 9)
tél. 01 45 23 01 77
BRUNCH : dimanche, 12h-15h
PRIX : 20€
RÉSERVATION : conseillée

ACCUEIL ET SERVICE	▶ 12
CADRE ET ANIMATION	▶ 15
BRUNCH	▶ 13

Bruyant et classique

Pour ceux qui aiment les grands espaces, l'indifférence du service, les incessants va-et-vient d'une clientèle bruyante et l'obligation de déjeuner avec plus de cent personnes, Merci Charlie est l'adresse qui devrait leur convenir.

Dans cet établissement sur deux niveaux, la mezzanine est vivement conseillée. On peut en effet tenter d'y oublier le bruit des grands boulevards et également essayer de se concentrer sur une formule brunch qui, soit dit en passant, n'est en aucun cas révolutionnaire. Car ici, on fait plutôt dans le classique avec une boisson chaude, un jus d'orange ou de pamplemousse, des œufs brouillés servis tièdes (est-ce ainsi tous les dimanches ?), de la salade, du jambon fumé et du fromage qui n'a pas eu le temps de voir les coins et recoins de sa cave d'affinage. Pour finir, compote de pommes, sans intérêt, et un dernier café serré.

Un ultime café bien inutile car on peut vous garantir qu'ici, la clientèle n'a pas besoin de se réveiller, elle est en pleine forme.

LE REPÈRE
► TRADITIONNEL

29, rue Beaurepaire, 10ᵉ
M° Jacques Bonsergent (ligne 5)
tél. 01 42 01 41 20
BRUNCH : dimanche, 10h30-19h
PRIX : 18,70€
RÉSERVATION : non

ACCUEIL ET SERVICE	► 14
CADRE ET ANIMATION	► 14
BRUNCH	► 13

Bientôt incontournable

À deux enjambées du quai de Valmy où les voitures sont bannies le dimanche, se niche cet élégant Repère qui devrait vite devenir l'adresse incontournable du quartier à l'heure du brunch. Lustre rouge, plancher, pierres apparentes, intérieur beige et marron, cuisine ouverte sur la salle, boîtes de thé disséminées à droite et à gauche, l'endroit a autant de charme que celle qui le dirige.

Sur une banquette, on se permet de lire la presse du moment mise à disposition en écoutant *TSF*, pendant que le chef prépare le duo de tartines chaudes (saumon, chèvre ou jambon) tout en surveillant la cuisson des scones. En attendant, on se délecte d'un thé Mariage Frères (le Marco Polo), d'une orange pressée digne de ce nom et de tartines servies avec un beurre doux et un beurre salé pour les Bretons et les Normands qui auraient le mal du pays.

Seul bémol, le dessert n'est pas compris dans la formule. Du coup, on ajoute quelques euros pour un clafoutis ou une excellente glace à la violette que l'on part déguster sur un banc du quai de Valmy.

TRËMA ★
► COSMOPOLITE

8, rue de Marseille, 10ᵉ
M° Jacques Bonsergent (ligne 5)
tél. 01 42 49 27 67
www.trema-restaurant.com
BRUNCH : dimanche, 12h-16h
PRIX : 18 et 25€
RÉSERVATION : non

ACCUEIL ET SERVICE	►	15
CADRE ET ANIMATION	►	13
BRUNCH	►	14

Des tapas scandinaves à Paris

À la fois restaurant, lounge et épicerie fine, Trëma, installé dans une ancienne peausserie, se positionne comme le premier restaurant de tapas scandinaves de Paris.

Commençons par les choses qui fâchent, la salle du fond. Trop sombre et sans âme, elle vous donne envie de retourner vous coucher. Préférez la première, elle est certes petite mais lumineuse et surtout, vous êtes au cœur de la partie épicerie dotée de produits venus de la mer, des thés Donovan, des sels, des sirops et des caramels au beurre salé. Nous avons aimé la carte des thés (dix-huit propositions), les cafés Nespresso (les amateurs apprécieront), les jus de fruits pressés devant vous et les confitures maison.

Le classicisme est ensuite de mise. Œufs brouillés nature, ciboulette ou saumon avec un coup de cœur pour l'œuf coque avec ses mouillettes au saumon et au beurre d'algues, puis pain suédois aux concombres ou aux crevettes et salade verte, coupe de champagne dans la formule à 25€ et enfin dessert, un financier ou un moelleux au chocolat, à moins que vous ne préfériez passer par la case fromage avec, lors de notre visite, une excellente tomme de chèvre.

AU TAKOULI

>23, rue Jean-Moinon, 10ᵉ
>M° Colonel Fabien (ligne 2)
>tél. 01 42 45 35 83
>*Prix :* 14€

LE 10ᵉ

>22, rue de Mazagran, 10ᵉ
>M° Strasbourg-Saint-Denis (lignes 4, 8, 9)
>tél. 01 47 70 47 52
>*Prix :* 16€

LE GALOPIN

>34, rue Sainte-Marthe, 10ᵉ
>M° Belleville (lignes 2, 11)
>tél. 01 53 19 19 55
>*Prix :* 13€

LA PETITE PORTE

>20, boulevard Saint-Martin, 10ᵉ
>M° Strasbourg-Saint-Denis (lignes 4, 8, 9)
>tél. 01 40 18 56 31
>*Prix :* 13€

SÉSAME

>51, quai de Valmy, 10ᵉ
>M° Jacques Bonsergent (ligne 5)
>tél. 01 42 49 03 21
>*Prix :* 18,50€

RENDEZ-VOUS

À 11H14 PRÉCISES

« Brunch : n.m. – v. 1970 ; mot angl., de br(eakfast) « petit-déjeuner » et (l)unch « déjeuner » anglic. Repas pris dans la matinée qui sert à la fois de petit-déjeuner et de déjeuner ».

M. Petit Robert n'est apparemment pas du matin, ni même du midi. Sa définition est bien incomplète pour les cartésiens du croissant et les théoriciens du bacon ! Car, enfin à quel instant T se situe l'heure exacte du dit brunch ?

L'ensemble SD des Sportifs du Dimanche le place sans conteste à réveil + 1h30, le temps pour ces derniers de courir durant au moins 45 minutes, une condition nécessaire et suffisante pour perdre leur surcharge en lipides. Partant de l'hypothèse qu'un joggeur sain se couche à 23h39 le samedi soir et dort en moyenne 8h17, l'instant T_{sd} du contact entre le kebab (récupération oblige) et le café intervient à 9h27 très précisément.

Considérons maintenant le cas diamétralement opposé à SD : celui de l'ensemble AC des Amoureux de la Couette. Chacun de ces éléments situe l'instant T_{ac} recherché à réveil + 1h + 30 min + 15 min + 5 min + 1 min, ces temps additionnels étant une condition sine qua non à l'éveil respectivement des yeux, du cerveau, des bras, des jambes et enfin de l'appétit. Sachant qu'un « dormophile » convaincu aura organisé une pyjama party le samedi soir avec pré-couchage à 20h31 et extinction des feux à 00h01, et que, compte tenu de son excitation, il n'aura pu bénéficier que de 87% de sa durée de sommeil normale estimée à 12h49, l'instant T_{ac} du contact entre le petit doigt et le pot de confiture (la préparation demandant le minimum d'effort) se trouve à 13h01.

Une simple moyenne arithmétique entre T_{sd} et T_{ac} fixe l'instant T moyen du brunch à 11h14. Merci donc de bien vouloir désormais respecter cet horaire.

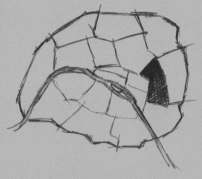

ARRONDISSEMENT **11**

L'AUTRE CAFÉ
▶ TRADITIONNEL

62, rue Jean-Pierre-Timbaud, 11ᵉ
M° Parmentier (ligne 3)
tél. 01 40 21 03 07
BRUNCH : dimanche sauf juillet et août, 12h-16h
PRIX : 18€
RÉSERVATION : non

ACCUEIL ET SERVICE	▶ 13
CADRE ET ANIMATION	▶ 13
BRUNCH	▶ 12

Pour les habitudes

La première chose que vous remarquerez en entrant dans ce grand café qui fait l'angle entre la rue Jean-Pierre-Timbaud et la rue Édouard-Lockroy, c'est le vase posé sur le bar dans lequel deux poissons rouges, ravis pour une fois de ne pas être dans un bocal, virevoltent en compagnie d'une petite voiture bleue échouée au fond. C'est un détail mais il ne laisse personne indifférent.

De même pour la table sur laquelle il est possible de jouer aux dames ou aux échecs sans avoir à sortir le tapis, les cases étant déjà dessinées dans le bois. En faisant les yeux doux au personnel, peut-être arriverez-vous à jouer tout en réquisitionnant la table d'à côté pour y disposer le contenu du brunch à savoir, les boissons chaudes et les jus de fruits, la brioche et le cake et la grande assiette sur laquelle se retrouvent pêle-mêle des œufs brouillés, de la salade, une tranche de saumon et des crudités. Ce n'est pas dithyrambique mais la maison a juste envie de se retrouver avec ses habitués ravis de grignoter quelque chose au saut du lit.

AUX TABLES DE LA FONTAINE
▶ TRADITIONNEL

2, rue des Trois-Bornes, 11ᵉ
Mᵒ Parmentier (ligne 3)
tél. 01 43 57 26 00
BRUNCH : dimanche, 12h-17h
PRIX : 17€
RÉSERVATION : conseillée

ACCUEIL ET SERVICE	▶ 13
CADRE ET ANIMATION	▶ 12
BRUNCH	▶ 13

Au choix

Un bistrot de quartier niché à l'endroit où les rues des Trois-Bornes et Jean-Pierre-Timbaud se séparent. Dans le creux du V formé par les deux rues, cet établissement a la chance de posséder une magnifique terrasse arborée prise d'assaut dès que le soleil pointe le bout de ses rayons.

Si celle-ci est complète, on se réfugie à l'intérieur où nous attend une ambiance bistrot. C'est d'ailleurs un peu dans cet esprit qu'a été conçu le brunch dans lequel on retrouve une assiette de charcuterie qui est proposée après les viennoiseries et les œufs au plat et avant une faisselle ou un plateau de fromages. On peut même vous proposer de remplacer le café par un verre de vin. Quand on vous dit qu'on a le sentiment d'être au bistrot.

N'ayez crainte, la maison propose tout de même une assiette avec du poisson fumé et des blinis en lieu et place de la charcuterie. C'est le médecin qui surveille votre cholestérol qui va être content.

BLUE BAYOU
▶ LOUISIANE

111, rue Saint-Maur, 11ᵉ
Mᵒ Parmentier (ligne 3)
tél. 01 43 55 87 21
www.bluebayouresto.com
BRUNCH : dimanche, 11h30-15h30
PRIX : 10,50€ (enfants), 15,50 ou 21€ (adultes)
RÉSERVATION : conseillée

ACCUEIL ET SERVICE	▶ 14
CADRE ET ANIMATION	▶ 15
BRUNCH	▶ 12

Au pays des Cajuns

Pendant de longues années, la salle située au-dessus de cette académie de billard est restée inoccupée jusqu'à ce que Patrick, le maître de cérémonie, fasse venir de Louisiane treize tonnes de troncs d'arbres pour reconstituer une cabane comme là-bas. Le résultat tout en bois est complètement dépaysant. En quelques minutes, vous faites abstraction de l'extérieur.

Patrick est un passionné de blues, de Louisiane et des Cajuns (ces Français de Louisiane). Du sol au plafond, il a voulu créer un restaurant identique à ce qu'il a connu là-bas. Même chose concernant le contenu de l'assiette. S'il n'y a pas de jambalaya (riz sauté aux épices douces, poulet et saucisse fumée), ou de gumbo seafood (crevettes, écrevisses, crabe, poisson mijotés dans une bisque d'écrevisses et accompagnés de riz et de salade de pommes de terre Cajun) à l'heure du brunch, la maison propose cependant de nous plonger dans l'univers américain en présentant une grande assiette composée d'œufs brouillés, de nuggets de poulet, de muffins au thon mariné, du coleslaw, du concombre mariné et des potatoes. Le tout servi avec du café à volonté, du jus d'orange ou de tomate et du vin.

Pour 6€ de plus, un hamburger vient se mêler à la fête. Le cadre est beaucoup plus étonnant que l'assiette mais la découverte de cette adresse est un moment incroyable tant vous êtes transporté en quelques minutes de l'autre côté de l'Atlantique.

BLUE ELEPHANT ★
▶ ASIATIQUE

43, rue de la Roquette, 11ᵉ
M° Bastille (lignes 1, 5, 8)
tél. 01 47 00 42 00
BRUNCH : dimanche, 12h-15h
PRIX : 34 €
RÉSERVATION : conseillée

ACCUEIL ET SERVICE	▶ 14
CADRE ET ANIMATION	▶ 15
BRUNCH	▶ 15

Complètement dépaysant

Si vous n'avez jamais osé pénétrer dans ce temple de la cuisine thaïlandaise à Paris, tentez l'aventure à l'heure du brunch, vous aurez ainsi l'occasion de faire le tour de cette cuisine dans un cadre complètement dépaysant. Au milieu du restaurant, quelques tables sont dressées et l'abondance est de rigueur.

À vos côtés, un personnel d'une gentillesse à toute épreuve vous indique spécialité par spécialité le contenu de chacune d'entre elles et vous explique l'ordre idéal dans lequel il est bon de les goûter. Salade de papaye verte, curry rouge de fruits de mer, salade de fleurs de bananier, soupe de crevettes à la citronnelle, tarte au jasmin, émincé de porc, soufflé de saumon au basilic, mangues, litchis et noix de coco sont quelques-unes des gourmandises qu'il est possible de savourer. C'est une explosion de saveurs en bouche un peu déroutante au saut du lit mais on finit par s'y faire en se jurant que l'on reviendra un jour mais cette fois pour y dîner.

CUBA COMPAGNIE
► CUBAIN

48, boulevard Beaumarchais, 11ᵉ
M° Chemin Vert (ligne 8)
tél. 01 48 06 07 11
www.cubacompagnie.com
BRUNCH : dimanche, 11h30-15h30
PRIX : 15€
RÉSERVATION : conseillée

ACCUEIL ET SERVICE	► 13
CADRE ET ANIMATION	► 14
BRUNCH	► 14

Buena Vista Social Club

Quel plaisir de se lever de bon matin pour rejoindre Cuba Compagnie où sourires et musique cubaine vous attendent de pied ferme. En poussant la porte, on jette un œil sur les deux pendules qui indiquent l'heure de Paris et celle de La Havane. À l'heure où vous passerez à table, les Cubains devraient tout juste entrouvrir un œil.

Après les pendules, on reste quelques instants devant l'écran géant branché sur *Euronews* puis on rejoint l'une des salles au style colonial, non sans avoir auparavant admiré la cave à cigares et bien entendu les multiples bouteilles de rhum qui patientent derrière le bar. Entre deux morceaux du Buena Vista Social Club, on se délecte d'un jus de fruits de marque Caraïbos issu du commerce équitable puis apparaissent le guacamole, les œufs brouillés, le bacon et le jambonneau grillés, les haricots rouges et le riz, sans oublier les toasts au saumon et les gâteaux cubains faits maison et proposés à volonté.

Quand l'assiette de fruits frais se pose sur la table, on sent que la fin du brunch est proche et qu'il va falloir partir. L'endroit a tellement de charme et est si dépaysant que c'est presque un déchirement.

LA FÉE VERTE
▶ TRADITIONNEL

108, rue de la Roquette, 11ᵉ
M° Voltaire (ligne 9)
tél. 01 43 72 31 24
BRUNCH : samedi et dimanche, 12h-18h
PRIX : 18€
RÉSERVATION : conseillée

ACCUEIL ET SERVICE	▶ 14
CADRE ET ANIMATION	▶ 13
BRUNCH	▶ 14

Créative et personnelle

Découverte de dernière minute, cette Fée Verte nous a conquis par sa gentillesse, son côté *Friends* (ici tout le monde semble se connaître), par le contenu de son assiette et par une formule à moins de 20 € bien pensée avec des produits irréprochables et de saison.

Au menu, lors de notre passage, une brouillade d'œufs au bacon et aux girolles – c'était le début de la saison –, puis un club sandwich au poulet mariné et une salade de sucrines et radis au persil frais servie avec une vinaigrette au roquefort. Enfin, pour conclure, un cappuccino de fruits frais au mascarpone. Avouez que l'intitulé de ces plats ne vous laisse pas indifférent.

Il y a de la créativité dans cette formule, des petites touches personnelles qui réveillent un plat, des idées, des envies. La styliste française d'origine italienne Elsa Schiaparelli disait : « *La bonne cuisinière est une fée qui dispense le bonheur* ». La Fée Verte est une bonne cuisinière !

IGUANA CAFÉ

▶ TRADITIONNEL

15, rue de la Roquette, 11ᵉ
M° Bastille (lignes 1, 5, 8)
tél. 01 40 21 39 99
BRUNCH : samedi, dimanche et jours fériés, 11h-17h
PRIX : 14,50 et 16,50€
RÉSERVATION : non

ACCUEIL ET SERVICE	▶	14
CADRE ET ANIMATION	▶	14
BRUNCH	▶	13

Sans surprise… mais correct

Telle pourrait être la définition du brunch de l'Iguana Café. Un endroit que nous continuons à apprécier pour ses petites tables et chaises bistrotières, sa bonne dizaine de fauteuils clubs et pour cette colonne géante parsemée de petites lumières de toutes les couleurs construite au milieu du bar et qui monte vers l'étage. Sans oublier l'escalier majestueux, la musique de discothèque distillée doucettement à l'heure du brunch et *Le Parisien* et *L'Équipe* mis à disposition sur le bar. Dans l'assiette, après le double café de rigueur et un cocktail de jus de fruits dont on peine à trouver la composition, place à l'assiette composée d'œufs brouillés (un peu trop secs), de salade, de pommes de terre sautées et de bacon servi généreusement (pas moins de cinq tranches). On termine par une compote de pommes avec des morceaux ou du fromage blanc. Ce n'est pas le paradis du brunch mais comme l'endroit est agréable et le personnel aimable, on s'en contente allègrement.

JUAN & JUANITA ★
► COSMOPOLITE

82, rue Jean-Pierre-Timbaud, 11ᵉ
M° Parmentier (ligne 3)
tél. 01 43 57 60 15
BRUNCH : dimanche sauf juillet et août, 12h-17h
PRIX : 18€
RÉSERVATION : indispensable

ACCUEIL ET SERVICE	► 14
CADRE ET ANIMATION	► 13
BRUNCH	► 15

Brunch à thèmes

Si nous devions décerner une palme de l'originalité, c'est incontestablement Juan & Juanita qui l'obtiendrait haut la main et pour une raison évidente : leur créativité. Ici, la composition du brunch varie en fonction de l'actualité.

Si chaque dimanche il y a le traditionnel brunch à l'anglaise (boisson chaude, jus de fruits pressé, pain de campagne et pain perdu, beurre et confitures maison, œufs brouillés, bacon croustillant, saucisse, coleslaw maison et pommes sautées), il y a surtout un dimanche le brunch du Sud, le dimanche suivant le brunch de la Croisette (quand le Festival de Cannes bat son plein), ou encore le brunch Total Régression avec au programme du Nutella, du pain perdu, des confitures, des assiettes avec des nuggets, une purée-jambon avec le petit puits pour mettre la sauce, des œufs à la coque avec des mouillettes au Kiri et puis de la glace au Malabar, un petit pot de crème au chocolat et des fraises avec de la chantilly.

Lors de notre visite, c'était le tour du brunch des Vahinés avec omelette tahitienne aux courgettes, ceviche de thon rouge à la mangue et à l'avocat, pastèque et patates douces rôties à la coriandre. Quand on vous dit qu'ils sont originaux !

LE MÉCANO BAR
▶ TRADITIONNEL

99, rue Oberkampf, 11ᵉ
M° Parmentier (ligne 3)
tél. 01 40 21 35 28
BRUNCH : samedi, dimanche et jours fériés, 11h30-17h
PRIX : 18€
RÉSERVATION : conseillée

ACCUEIL ET SERVICE	▶ 13
CADRE ET ANIMATION	▶ 13
BRUNCH	▶ 12

Pour les habitants du quartier

Installé dans un ancien magasin d'outillage – la façade est restée intacte –, le Mécano Bar est avant tout un bar de nuit dont le patron passe son temps entre Paris et Saint-Jean-de-Luz où il possède un restaurant. L'inconvénient de bruncher dans un tel établissement, c'est l'odeur. En effet, quand vous poussez la porte du Mécano au saut du lit, les relents de tabac froid sont difficilement supportables. Mais si l'on fait abstraction de ce que certains peuvent considérer comme un détail, le bar est un bel endroit avec son lot de meubles dépareillés (banquettes, chaises bistrot, canapé, bergères), sans oublier quelques œuvres d'art réalisées avec d'anciens outils.

Dans l'assiette, pas de quoi rouler des mécaniques. Le panaché de salades aux noix se tient, le lard fumé croustille, les chipolatas sont grillées comme il se doit, même si on se demande encore ce qu'elles font dans une formule brunch, et les œufs brouillés sont corrects. Quant aux pommes au four et au saumon fumé, ce ne sont certainement pas les meilleurs de Paris. Pour ceux qui habitent dans le quartier et qui restent des inconditionnels d'Oberkampf, pourquoi pas. Pour les autres, vous trouverez sans aucune difficulté dans ce guide une adresse plus convaincante pour le contenu de l'assiette sans avoir à traverser tout Paris.

LE MONTE CHARGE CAFFÉ
▶ **TRADITIONNEL**

143, rue du Faubourg-Saint-Antoine, 11ᵉ
M° Ledru-Rollin (ligne 8)
tél. 01 49 29 73 37
BRUNCH : dimanche, 12h-16h30
PRIX : 18€
RÉSERVATION : non

ACCUEIL ET SERVICE	▶ 12	
CADRE ET ANIMATION	▶ 13	
BRUNCH	▶ 12	

Ça tient à peu de chose…

Un restaurant d'angle tout en longueur où le rouge et le noir dominent et où les moulures au plafond ne laissent personne indifférent. C'est normal… elles sont fausses. En dehors de cet aparté décoratif, le Monte Charge Caffé ne se vit pas de la même manière selon la personne qui se trouve derrière le bar.

Échaudés par l'accueil exécrable d'un serveur (patron ?) bougon, si peu aimable que l'on avait envie de lui dire : « *Si ce métier ne vous convient pas, faites autre chose mais ne nous ruinez pas notre dimanche matin* », nous sommes revenus et là… miracle. Un autre serveur était présent, d'une gentillesse à toute épreuve. Comme quoi, un brunch réussi tient parfois à peu de choses.

Comme vous l'aurez compris, nous avons donc testé deux fois le brunch de cet établissement et si le steak haché à cheval et ses pommes sautées sont délicieux, on se demande toujours pourquoi un tel plat se trouve dans une formule brunch. S'il n'y avait pas eu la boisson chaude et le fruit pressé de rigueur, nous aurions cru avaler un déjeuner comme tous ceux que nous prenons tout au long de la semaine.

PAUSE CAFÉ

▶ **TRADITIONNEL**

41, rue de Charonne, 11ᵉ
M° Ledru-Rollin (ligne 8)
tél. 01 48 06 80 33
BRUNCH : dimanche, 12h-17h
PRIX : 18€
RÉSERVATION : conseillée

ACCUEIL ET SERVICE	▶ 14
CADRE ET ANIMATION	▶ 14
BRUNCH	▶ 13

Galerie d'art colorée aussi

Ce bar qui, en 1999, a reçu, excusez du peu, le titre de « Café of The Year », est très recherché dans le quartier pour sa terrasse mais aussi pour la luminosité de sa salle où des peintres exposent régulièrement. Les œuvres proposées sont en général très colorées, comme l'est d'ailleurs l'ensemble de l'établissement : terrasse jaune, chaises d'école rouges ou jaunes à l'intérieur, sans oublier un bar multicolore.

Côté gourmandises, la maison se défend bien avec un brunch saumon ou un brunch poulet. Dans le premier cas, vous mangerez des œufs brouillés au bacon et saumon et dans le deuxième cas, des œufs brouillés au bacon et escalopines de poulet. Pour le reste, la base est la même pour tous. Copieuse, elle ne déçoit personne. Corbeille du boulanger, miel, confitures, pâtes à tartiner bio, assiette de frites maison, salade, fromage blanc nature, minestrone de fruits frais aux épices et enfin pancake et sirop d'érable.

Que demander de plus ? Il ne manque rien et le prix est plus que raisonnable.

LE PETIT BAÏONA
▶ TRADITIONNEL

> 90, rue de Charonne, 11ᵉ
> M° Charonne (ligne 9)
> tél. 01 43 48 98 82
> *BRUNCH :* dimanche, 12h-16h
> *PRIX :* 18€
> *RÉSERVATION :* conseillée

ACCUEIL ET SERVICE	▶ 14
CADRE ET ANIMATION	▶ 13
BRUNCH	▶ 13

Le Pays basque de Paris

Avec un nom pareil, vous l'aurez compris, c'est le Pays basque qui est fêté ici tous les jours, pas l'Alsace, ni même le Limousin et encore moins le Nord-Pas-de-Calais. De même, en observant la déco du sol au plafond, on comprend rapidement que nous sommes bien dans l'ambassade de cette belle région. Il y a là tout le matériel pour jouer à la pelote, les maillots de rugby du Biarritz Olympique et de l'Aviron Bayonnais, sans oublier l'incontournable béret rouge accroché aux bouteilles derrière le bar.

Si on savait que les gens du Sud-Ouest aimaient bien manger, le brunch du Petit Baïona en est la preuve. Après les incontournables boissons chaudes et jus de fruits, une première assiette, dont le contenu est variable en fonction des produits du moment, fait son apparition. Lors de notre venue, l'œuf au plat côtoyait du poisson et de la viande. Ensuite, place au buffet qui est dressé sur une partie de la grande table autour de laquelle tout le monde aimerait s'installer. Malheureusement, il n'y a que dix places. Rassurez-vous, d'autres tables vous attendent.

Le buffet donc, un mélange de sucré et de salé dans lequel on pioche allègrement. Au programme : quatre-quarts, salade de fruits, crêpes, quiches, tartines… il y en a pour tout le monde et pour tous les goûts. Après, la balade digestive dans le quartier est la bienvenue.

PLEIN SOLEIL

▶ **TRADITIONNEL**

90, avenue Parmentier, 11ᵉ
M° Parmentier (ligne 3)
tél. 01 48 05 41 06
BRUNCH : samedi et dimanche, 11h-17h
PRIX : 14,50€
RÉSERVATION : conseillée

ACCUEIL ET SERVICE	▶ 11
CADRE ET ANIMATION	▶ 9
BRUNCH	▶ 10

Idéal pour la bronzette

À la sortie du métro Parmentier, à l'angle de l'avenue du même nom et de l'avenue de la République, se dresse majestueusement une grande terrasse baignée de soleil. Vous y êtes, c'est Plein Soleil. Mais comme vous êtes à l'angle de deux avenues, c'est forcément très bruyant. Si vous aimez, tant mieux, restez et peaufinez votre bronzage.

Si vous n'aimez pas, entrez à l'intérieur. C'est moins bruyant mais le bal des serveurs qui aboient leurs commandes à Momo le barman finit vite par lasser. « 2 express, 1 quart rosé, 1 cinquante de Brouilly et 1 orange pressée », « Dis au chef qu'il me prépare une salade niçoise et un filet de perche mais sans la crème au basilic. » Vous l'aurez compris, vous êtes plutôt ici dans une brasserie qui a ajouté le brunch à sa très longue carte de plats. Bon point pour le café et l'orange pressée, pour le reste, il vous faudra choisir entre une assiette d'œufs au plat et du bacon ou des œufs brouillés au saumon beaucoup trop salés, servis qui plus est avec un morceau de saumon esseulé entre une rondelle de tomate et un gratin dauphinois dont on se demande encore ce qu'il faisait là.

Un pancake pour conclure histoire de finir la lecture du *Parisien*, de *L'Équipe* ou de *Libération* mis à disposition de la clientèle sur une petite table à deux pas du comptoir.

PLEIN SOLEIL
90, AVENUE PARMENTIER
75011 PARIS
TEL: 01.48.05.41.06

TABLE 26
1 COUVERT   VENDEUR 17   14.50

1 BRUNCH   TVA   TTC
                     2.38   14.50

         HT Serv.Compris   12.12
TVA 19.60Z   1.58
Dont Serv:

TOTAL   14.50

LE RÉFECTOIRE
▶ **TRADITIONNEL**

80, boulevard Richard-Lenoir, 11ᵉ
M° Saint-Antoine (ligne 9)
tél. 01 48 06 74 85
BRUNCH : dimanche et jours fériés, 12h-16h
PRIX : 20€
RÉSERVATION : non

ACCUEIL ET SERVICE	▶ 14
CADRE ET ANIMATION	▶ 14
BRUNCH	▶ 13

Un retour en enfance

Ouvert au printemps 2005, Le Réfectoire est rapidement devenu l'adresse tendance du moment parce qu'il permet un retour en enfance comme nulle part ailleurs. Verres à moutarde Shrek, chaises d'écolier, menu sur papier millimétré, gros luminaires en plastique rose, tous les éléments sont réunis pour nous faire croire que nous sommes revenus au temps de la cantine.

Dans l'assiette, c'est un peu le même principe, raviolis, jambon-purée et poulet-frites font déjà partie des must. Le dimanche, la fine équipe du Réfectoire accueille petits et grands entre midi et 16 heures pour un brunch on ne peut plus classique. Après les jus de fruits frais et les boissons chaudes, place aux œufs sur le plat et au poulet-frites.

Faites du charme au personnel réquisitionné pour ce brunch dominical et vous devriez pouvoir récupérer un Carambar… mais seulement si vous avez fini votre assiette.

LE RÉSERVOIR

► COSMOPOLITE

16, rue de la Forge-Royale, 11ᵉ
M° Faidherbe-Chaligny (ligne 8)
tél. 01 43 56 39 60
BRUNCH : dimanche, 12h-17h
PRIX : 22€
RÉSERVATION : conseillée

ACCUEIL ET SERVICE	► 14
CADRE ET ANIMATION	► 15
BRUNCH	► 12

Complètement décalé

Comment dire ? Le Réservoir à l'heure du brunch, on aime ou on déteste, difficile de trouver un juste milieu. Les pro-Réservoir vous diront que c'est hallucinant d'entrer dans la pénombre alors que dehors il y a un grand soleil, que le concert de jazz à midi même si le son est trop fort, c'est complètement décalé, que la décoration de bric et de broc, les moulures, les tentures d'un autre âge, les lustres et les fauteuils recouverts de tissu léopard, c'est trop tendance et qu'enfin le brunch version buffet, c'est anecdotique. Les anti-Réservoir vous rétorqueront eux qu'au saut du lit, ils n'ont pas vraiment envie de se faire exploser les tympans et de devoir attendre une pause entre deux chansons pour pouvoir parler à leurs amis, qu'ils ne viennent pas dépenser 22€ pour des petits pots de confiture industrielle, du Nutella en barquettes, du thé Lipton, des mauvais jus de fruits servis au pichet et du café en thermos.

En revanche, tous s'accordent à dire que le personnel est d'une gentillesse déconcertante, que le buffet est gargantuesque et que de devoir céder sa table à 14h30 pour le second service et le second concert n'a rien de dérangeant puisque que tout ce petit monde est là depuis midi. À vous de choisir votre camp.

ET AUSSI :

BOLLYWOOD LINK CAFÉ

33/35, rue de Lappe, 11ᵉ
M° Ledru-Rollin (ligne 8)
tél. 01 48 06 18 57
PRIX : 16€

LE CAFÉ CHARBON

109, rue Oberkampf, 11ᵉ
M° Saint-Maur (ligne 3)
tél. 01 43 57 55 13
PRIX : 18€

LE CANNIBALE

93, rue Jean-Pierre-Timbaud, 11ᵉ
M° Couronnes (ligne 2)
tél. 01 49 29 95 59
PRIX : 16,50€

LE TROISIÈME BUREAU

74, rue de la Folie-Méricourt, 11ᵉ
M° Oberkampf (lignes 5, 9)
tél. 01 43 55 87 65
PRIX : 14,50€

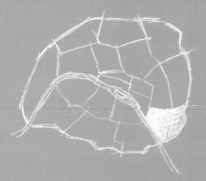

ARRONDISSEMENT **12**

L'ARROSOIR

▶ **TRADITIONNEL**

75, avenue Daumesnil, 12ᵉ
M° Gare de Lyon (lignes 1, 14)
tél. 01 43 43 64 58
BRUNCH : dimanche, 11h-16h
PRIX : 19 €
RÉSERVATION : conseillée

ACCUEIL ET SERVICE	▶ 13	
CADRE ET ANIMATION	▶ 16	
BRUNCH	▶ 11	

Comme dans un jardin

Niché dans une des voûtes du Viaduc des Arts, L'Arrosoir est une très jolie adresse dont la décoration est entièrement dédiée au jardinage. Au milieu des tables en bois et des chaises en osier, il n'est pas rare de croiser le regard de quelques nains de jardin disposés à côté d'une série de sachets de graines, de pelles, d'arrosoirs, de tabliers de jardinier et de râteaux.

Lieu extraordinaire, brunch extraordinaire ? Malheureusement non et c'est regrettable. Si l'orange pressée est délicieuse, l'assiette qui suit le cortège de tartines, de beurre et de confitures n'est qu'un panachage sans intérêt. Les œufs brouillés sont trop secs, l'avocat est trop mûr, quant au saumon, il n'a pas sa place dans une assiette où trône déjà du jambon grillé. Il y a des mélanges qui ne sont pas toujours très heureux.

Seule la salade de fruits frais présentée dans un verre redonne un peu d'espoir sur ce que cet établissement est capable de proposer. Avec un peu de bonne volonté et du goût, cette adresse pourrait devenir incontournable. Elle l'est pour boire un verre, pas pour bruncher.

L'ARROSOIR
75 AVENUE DAUMESNIL
75012 PARIS
TEL:01 43 43 64 58

TABL

53   COUVERTS
DIM 12 JUN 2005 14:06
1 BRUNCH
1 1/2 SAN PELL

                              19.00
                               4.00
TOTAL   EUR
FRANCS   23.00
                             150.87
TVA 19.60
1 TOTAL   3.77

MERCI DE VOTRE   23.00

LE CAFÉ BARGE

▶ TRADITIONNEL

5, port de la Rapée, 12ᵉ
Mᵒ Quai de la Rapée (ligne 5)
tél. 01 40 02 09 09
www.cafebarge.com
BRUNCH : dimanche sauf juillet et août, 12h-16h
PRIX : 25€
RÉSERVATION : non

ACCUEIL ET SERVICE	▶ 9	
CADRE ET ANIMATION	▶ 14	
BRUNCH	▶ 10	

Pour l'emplacement

Oui cette barge est magnifique et son emplacement en laisse plus d'un pantois. Oui, c'est une adresse idéale quand le soleil est au rendez-vous. Oui le cadre est plutôt réussi même s'il a un peu de mal à vieillir. Voilà pour les compliments, car pour le reste, il y a de grandes choses à revoir. À commencer par un accueil téléphonique inexistant, un personnel inélégant et absolument pas qualifié pour travailler dans la restauration et une cuisine médiocre. De toute façon, on se demande bien comment cette dernière pourrait être autrement quand on sait qu'ici la règle est de trois cents couverts en un seul service ?

Et le brunch dans tout ça, me direz-vous ? Comme le lieu, sans élégance. On pose tout ce que l'on a sur un buffet comme dans n'importe quel village vacances et débrouillez-vous. En conclusion, l'été pour bronzer pourquoi pas, mais à condition d'avoir petit-déjeuné chez soi avant de venir.

CAFÉ BASTILLE

▶ TRADITIONNEL

8, place de la Bastille, 12ᵉ
Mº Bastille (lignes 1, 5, 8)
tél. 01 43 07 79 95
BRUNCH : dimanche, 8h-20h
PRIX : 19€
RÉSERVATION : conseillée

ACCUEIL ET SERVICE	▶ 13
CADRE ET ANIMATION	▶ 13
BRUNCH	▶ 12

Un lieu de rendez-vous

C'est l'imposante brasserie de la place de la Bastille devant laquelle vous êtes passé des centaines de fois. Si l'été elle est quelque peu cachée derrière les arbres, elle n'en reste pas moins un lieu de rendez-vous incontournable à n'importe quel moment de la journée. À son tour, cette brasserie s'est mise au brunch et dans l'ensemble, elle s'en sort assez bien. L'endroit n'est pas le plus séduisant de la capitale mais le contenu de l'assiette n'a rien à envier à certaines adresses. Proposé par une escouade de serveurs vêtus de noir des pieds à la tête, le brunch se compose des traditionnels boissons chaudes et jus de fruits suivis d'œufs brouillés (légèrement trop cuits), de fromage blanc, de salade de fruits et de pain perdu.

Si vous habitez le quartier et qu'une envie de brunch vous prend subitement, ce Café Bastille est un point de chute honnête.

CHAI 33
▶ COSMOPOLITE

33, cour Saint-Emilion, 12ᵉ
Mᵒ Cour Saint-Emilion (ligne 14)
tél. 01 53 44 01 01
BRUNCH : dimanche et jours fériés, 12h-16h
PRIX : 25€
RÉSERVATION : indispensable

ACCUEIL ET SERVICE	▶ 12	
CADRE ET ANIMATION	▶ 15	
BRUNCH	▶ 12	

Avant tout un restaurant

Installé dans un des chais de Bercy Village, le Chai 33 est avant tout un restaurant qui a voulu, comme la plupart de ses confrères du cour Saint-Émilion, proposer une formule brunch. Certes, l'adresse est magique, élégante, parfaitement pensée. Ses deux terrasses, l'une baignée de soleil, l'autre située face à la verdure, sont deux atouts de poids pour vous séduire, mais pour ce qui est du brunch, on repassera. La formule proposée, si elle est copieuse, ressemble plus à un déjeuner qu'à un brunch.

Si vous imaginiez avoir en face de vous quelques viennoiseries, du pain tiède, du beurre et des confitures et éventuellement des œufs brouillés ou sur le plat, c'est raté. Ici, après un verre de jus d'orange d'une acidité déconcertante, on attaque directement un plateau sur lequel se retrouvent pêle-mêle un tartare aux trois poissons, une salade de poulet croustillante, des tomates-mozzarella, des pâtes tièdes au saumon mariné, un paillasson de pommes de terre, des brochettes de volaille, des brochettes d'agneau et une vinaigrette au sésame et aux herbes. On termine par une assiette de desserts composée d'un tiramisu, d'une compote de saison, d'une tarte et d'un soufflé glacé au chocolat.

On aimerait rester parce que le lieu est propice au repos mais la déception est telle que l'on finit par partir en se jurant de trouver un brunch digne de ce nom pour dimanche prochain.

CHALET DE LA PORTE JAUNE

► TRADITIONNEL

Avenue de Nogent – Bois de Vincennes, 12ᵉ
M° Château de Vincennes (ligne 1)
tél. 01 43 28 80 11
www.portejaune.com
BRUNCH : dimanche de mai à septembre, 11h30-15h30
PRIX : 18€ (enfants de moins de 12 ans), 28€ (adultes)
RÉSERVATION : conseillée

ACCUEIL ET SERVICE	► 13	
CADRE ET ANIMATION	► 16	
BRUNCH	► 11	

Pour le cadre bucolique

Ancien rendez-vous de chasse édifié par le baron Haussmann sur les vestiges du couvent des Minimes de Saint-François de Paul, le Chalet de la Porte Jaune est ensuite devenu un restaurant avant d'être entièrement rénové en 1996. Utilisé aujourd'hui pour des séminaires, des réceptions ou des soirées, il ouvre ses portes dans un cadre bucolique uniquement quand les beaux jours sont de retour.

C'est donc en terrasse que nous vous conseillons de profiter de l'air pur, de la proximité du lac et de ce coin de verdure pour bruncher autour d'un buffet sur lequel trônent viennoiseries, boissons chaudes et jus de fruits. Suivent ensuite différentes salades qui évoluent chaque dimanche mais aussi des œufs brouillés ou des escalopes de saumon grillé. Les pancakes sont les bienvenus pour clore ce brunch dominical qui ne restera pas dans les annales des brunchs les plus réussis mais l'endroit est tel que l'on vient plus pour le cadre que pour le contenu de l'assiette.

CLUB MED WORLD
▶ BRUNCH BUFFET

39, cour Saint-Émilion, 12ᵉ
M° Cour Saint-Émilion (ligne 14)
tél. 0 810 810 410 (N° Azur, prix d'un appel local)
www.clubmedworld.fr
BRUNCH : dimanche, 11h30-14h
PRIX : 2€ par année pour les enfants de moins de 6 ans,
17€ (à partir de 6 ans) et 30€ pour les adultes.
RÉSERVATION : conseillée

ACCUEIL ET SERVICE	▶ 16
CADRE ET ANIMATION	▶ 13
BRUNCH	▶ 11

Idéal pour les familles
Si vous n'avez pas d'enfant ou si vous n'aimez pas l'ambiance Club Med, passez votre chemin, le brunch du Club Med World, ça se déguste en famille. Après avoir fait le tour de l'espace boutique, vous entrez dans l'Oliveraie, une immense salle où se tiennent habituellement les déjeuners et les dîners. Confiez vos enfants, si vous le souhaitez, aux GO. Ils profiteront d'un brunch dédié et participeront ensuite à différentes activités en fonction de leur âge. Logiquement, ils reviendront vous voir pour négocier avec vous le trapèze, le trampoline et le jonglage qui sont payants : 12€ par heure et par enfant… gloups ! Entre deux négociations, il vous reste à découvrir les buffets (entrées, plats, fromages et desserts) sur lesquels sont disposées des quantités astronomiques de nourriture.

À vous de composer votre brunch même si globalement, nous sommes très éloignés de la formule classique. Vous y trouverez bien sûr du saumon fumé, des œufs brouillés, du bacon, des salades en tous genres, des paniers de crudités, des plats de poisson ou de viande, mais aussi des gâteaux, des crêpes et toutes sortes de sucreries que l'on ne s'autorise pas le reste de la semaine.

Attention, si vous optez pour le brunch de 11h30, il vous faudra céder votre place avant 14 heures. Ça n'est jamais très agréable mais c'est la règle du jeu. À vous de l'accepter.

LE COSY
▶ TRADITIONNEL

50, avenue Saint-Mandé, 12ᵉ
M° Picpus (ligne 6)
tél. 01 43 43 08 21
BRUNCH : dimanche, 10h-16h
PRIX : 26€
RÉSERVATION : non

ACCUEIL ET SERVICE	▶ 13	
CADRE ET ANIMATION	▶ 14	
BRUNCH	▶ 13	

À l'orée du bois de Vincennes

Entièrement rénové et redessiné dans un style plus contemporain, l'hôtel Cosy, dont certaines chambres donnent sur le joli square Courteline, est doté d'un bar-restaurant moderne où les couleurs brun foncé et orangé dominent. Bois brun pour les tables, orange pour les chaises de la terrasse, bois brun pour le bar, orange pour les abat-jour. Même les serveurs sont habillés d'un tee-shirt orange, vous ne pouvez pas les manquer.

Si la grande terrasse a ses adeptes, nous vous conseillons de bruncher dans le coin bibliothèque. Livres et objets divers ont envahi un meuble de grande taille aux multiples rayonnages sur lequel trône un téléviseur moderne qui diffuse à longueur de journée les programmes de la chaîne *Fashion TV*. Dans cet espace, vous pourrez tranquillement déguster un brunch copieux et relativement varié. Boissons chaudes, jus d'orange, petites viennoiseries, pain toasté et confitures maison donnent le coup d'envoi des festivités avant les œufs brouillés au saumon. Quand certaines adresses parisiennes enchaînent sur le dessert, Le Cosy intercale une assiette de viande froide et de fromage et ce n'est qu'une fois ces plats avalés, que la salade de fruits et le fromage blanc font leur apparition.

Bonne adresse dans un quartier où les brunchs sont rares. Emplacement idéal si vous voulez ensuite vous accorder une balade dans le bois de Vincennes qui n'est qu'à quelques centaines de mètres.

THE FROG AT BERCY VILLAGE
▶ ANGLAIS

25, cour Saint-Émilion, 12ᵉ
M° Cour Saint-Émilion (ligne 14)
tél. 01 43 40 70 71
www.frogpubs.com
BRUNCH : dimanche, 11h-16h
PRIX : 12€
RÉSERVATION : non

ACCUEIL ET SERVICE	▶ 13	
CADRE ET ANIMATION	▶ 14	
BRUNCH	▶ 12	

Do you speak english ?

Contrairement à ses confrères de la rue Saint-Denis et de la rue Princesse, The Frog n'a pas le même cachet et pour cause, il occupe l'un des chais de Bercy. La façade n'est donc pas vert foncé et les boiseries ont été délaissées au profit de murs de pierres apparentes. L'adresse a tout de même un certain charme avec son bar tout en longueur, sa micro-brasserie, ses espaces nichés sur différents niveaux (coup de cœur pour la petite mezzanine), ses incontournables écrans de télévision et ses maillots des grandes équipes de rugby d'Angleterre (Bristol et Harlequins) protégés par des cadres.

En revanche, dans l'assiette, on ne change pas une formule qui fonctionne. Pas de brunch à proprement parler mais un breakfast à l'anglaise avec des œufs, du bacon, des champignons, des saucisses et les indispensables haricots à la sauce tomate.

Adresse idéale pour converser en anglais avec le personnel fraîchement débarqué de la Gare du Nord.

LE SAINT M

► COSMOPOLITE

34, cour Saint-Emilion, 12ᵉ
M° Cour Saint-Emilion (ligne 14)
tél. 01 43 40 21 21
BRUNCH : dimanche, 11h30-16h
PRIX : 19,50€
RÉSERVATION : non

ACCUEIL ET SERVICE	► 11
CADRE ET ANIMATION	► 12
BRUNCH	► 8

En groupe, on se sent plus fort

Le Guilvinec, seule table gastronomique intéressante du cour Saint-émilion, a malheureusement cédé sa place au Saint M, une brasserie sans grand intérêt mais idéalement placée. Le cour Saint-Émilion étant devenu la poule aux œufs d'or de l'Est parisien. Comme ses voisins, Le Saint M a cédé aux sirènes du brunch et nous ne pouvons que le déplorer.

Après les jus de fruits servis tièdes, les sacro-saintes petites viennoiseries, le pain, le thé sans intérêt et le chocolat chaud au goût si prononcé que mêmes les enfants ne le finissent pas, place aux œufs brouillés servis avec un saumon trop gras ou des saucisses qu'un artisan charcutier n'oserait pas vendre. Quant au bacon annoncé, il fut remplacé par une tranche de jambon cuit qui ne laissa pas non plus un grand souvenir. Le tout est accompagné de pommes de terre collées les unes aux autres, comme solidaires face au regard réprobateur des convives. En groupe, c'est bien connu, on se sent toujours plus fort.

Seule lueur d'espoir, la salade de fruits. Mais là encore, la déception est au rendez-vous. Ne serait-il pas plus professionnel de passer un peu de temps le matin à éplucher des fruits frais plutôt que d'oser proposer ce mélange qui semble ne pas être fait maison. Ajoutez à cela un service où l'amateurisme bat son plein, des toilettes à la propreté limite et vous avez toutes les raisons de ne pas venir.

VIADUC CAFÉ

▶ TRADITIONNEL

43, avenue Daumesnil, 12ᵉ
Mᵒ Gare de Lyon (lignes 1, 14)
tél. 01 44 74 70 70
BRUNCH : dimanche, 12h-16h
PRIX : 25€
RÉSERVATION : conseillée

ACCUEIL ET SERVICE	▶ 13
CADRE ET ANIMATION	▶ 14
BRUNCH	▶ 13

Sous la coulée verte

Si le long du Viaduc des Arts il est parfois difficile d'apercevoir les numéros des commerces, il y a un repère imparable pour savoir si vous arrivez au Viaduc Café : le garage à vélos. Le même que celui que nous avions devant notre école primaire ou notre collège. Posé sur le trottoir, au bord de la piste cyclable, il est difficile de ne pas l'apercevoir. Après s'être échangé quelques souvenirs d'enfance, il est temps de passer à table pour goûter et apprécier le jazz-brunch.

Seul souci, lors de notre visite, de jazz il n'y en eut point. Peut-être y a-t-il une programmation précise mais le jeune personnel n'a pas su nous renseigner. Peu importe, l'essentiel est le contenu de l'assiette. Une fois encore, nous regrettons les pots de confiture Bonne Maman et le miel d'acacia de marque Lune de Miel et tentons de nous consoler avec le thé Darjeeling de chez Dammann. Maigre consolation nous direz-vous !

Soyez rassuré, la suite est plus agréable. Les œufs brouillés au bacon sont plutôt réussis et la salade de saumon (trop salée) se déguste sans réfléchir avec sa crème à la ciboulette, son blinis et son citron vert. La crème brûlée à la vanille ou la faisselle nature ou au miel viennent conclure cet instant dominical appréciable sur la terrasse ou sous la voûte majestueuse. La balade sur la Coulée Verte au-dessus du viaduc est incontournable après le brunch.

VINÉA CAFÉ
► COSMOPOLITE

26-28, cour Saint-Émilion, 12ᵉ
M° Cour Saint-Émilion (ligne 14)
tél. 01 44 74 09 09
www.vinea-cafe.fr
BRUNCH : dimanche, 12h-16h
PRIX : 23€
RÉSERVATION : conseillée

ACCUEIL ET SERVICE	► 8
CADRE ET ANIMATION	► 9
BRUNCH	► 10

Connaissez-vous le cricket ? Moi, non plus.
Le Vinéa Café est un des premiers établissements à s'être installé sur le cour Saint-Émilion et aujourd'hui, force est de constater que cela se voit. Il suffit de jeter un œil sur la banquette zébrée constellée de taches et trouée de toutes parts par des cigarettes qui avaient décidé un jour de vivre leur vie en s'échappant des mains de leurs propriétaires. Mais le pire est sans doute le personnel, jeune, peu efficace, pas du tout motivé et qui connaît la restauration comme nous nous connaissons les règles du cricket. Même le manager semble avoir des difficultés à gérer une bande de filles et de garçons, habillés en noir pour faire branché, qui piaillent, hurlent et s'envoient des « bouffon » par-ci, « bouffon » par-là pendant toute la durée du brunch. Pitoyable.

Sauf pour la terrasse, l'adresse est vivement déconseillée. Même le brunch n'a que peu d'intérêt. Un petit-déjeuner suivi d'œufs brouillés, d'un club sandwich ou de brochettes de viande ou de saumon et ses blinis. On termine par une faisselle et on part en prenant ses jambes à son cou.

et aussi :

BARRIO LATINO
46, rue du faubourg Saint-Antoine, 12ᵉ
M° Bastille (lignes 1,5,8)
tél. 01 55 78 84 75
PRIX : 26€

PAR ISABEL BRANCQ-LEPAGE

STYLISTE CULINAIRE
AUTEUR DE NOMBREUX OUVRAGES

PANCAKES À LA BANANE

Pour 12 pancakes
Préparation : 15 min
Cuisson : 4 min

- 4 bananes
- 120 g de farine
- 50 g de beurre fondu
- 1 œuf
- 1 sachet de levure chimique
- 20 cl de lait
- 30 g de sucre semoule
- 1 cuillère à soupe d'huile

La préparation

- Dans un saladier, mélangez la farine à la levure, ajoutez le sucre. Dans un second saladier, mélangez dans l'ordre, l'œuf et le beurre fondu puis le lait et enfin l'huile. Ajoutez ensuite progressivement cette préparation dans le premier saladier en continuant de remuer le mélange de farine. Vous obtenez une pâte homogène que vous laissez reposer 30 min.
- Épluchez et découpez les bananes en rondelles.
- Dans une petite poêle beurrée, déposez 3 rondelles de bananes au centre. Versez une tasse à thé de pâte à pancake et laissez cuire. Lorsque des bulles se forment sur le pancake, retournez-le et laissez-le encore cuire 2 min.

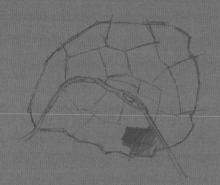

ARRONDISSEMENT **13**

HÄNSEL & GRETEL ★

▶ **GERMANIQUE**

43, rue des Cinq-Diamants, 13ᵉ
M° Corvisart (ligne 6)
tél. 01 45 88 74 29
www.hansel-et-gretel.com
BRUNCH : samedi et dimanche, 12h-16h
PRIX : 17 et 19€
RÉSERVATION : conseillée

ACCUEIL ET SERVICE	▶ **15**	
CADRE ET ANIMATION	▶ **13**	
BRUNCH	▶ **14**	

Il était une fois…

« La Maison des Délices Enchantés », telle est la signature de cette boutique gourmande nichée dans une rue calme de la Butte-aux-Cailles qui donne l'impression de ne plus être à Paris. La façade couleur bordeaux attire l'œil immanquablement et c'est une riche idée de venir coller son nez sur la vitrine car, à elle seule, elle mérite le détour. À gauche, de grands bocaux qui renferment tous les bonbons de notre enfance, des chamallows bien entendu mais surtout les fameux colliers ou bracelets de bonbons multicolores que l'on grignotait tout au long de la journée. À droite, des moules à tarte et série d'ustensiles qui donnent envie de filer en cuisine pour y préparer des gâteaux.

C'en est trop, il faut pousser la porte pour goûter le brunch de la maison ou plutôt les trois brunchs servis dans une petite salle tout en longueur. Un brunch alsacien, un brunch allemand et enfin le baltique pour ceux ou celles que la charcuterie effraie. Comme dans le conte de Grimm, nous tombons tous entre les mains de la maîtresse de maison qui a su nous attirer par cette liste de brunchs gourmands. La seule différence avec le conte, c'est que la maîtresse de maison n'a rien d'une sorcière… bien au contraire. Avec sourire et délicatesse, elle apporte les tartines, les boissons chaudes et les jus de fruits avant de filer en cuisine vérifier la cuisson de l'œuf coque. Une fois ce dernier gobé, place à la mortadelle, le jambon blanc et le jambon de pays puis le fromage blanc servi avec du muesli pour le brunch allemand ou du miel pour le brunch alsacien. Pour le baltique, la charcuterie est remplacée par du saumon fumé, des œufs brouillés et du fromage blanc à la ciboulette. Un vrai coup de cœur pour le lieu, le choix et le quartier qui offre de belles balades une fois la table quittée.

ET AUSSI :

L'OISIVETHÉ

1, rue Jean-Marie-Jego, 13ᵉ
Mᵒ Corvisart (ligne 6)
tél. 01 53 80 31 33
PRIX : 17€

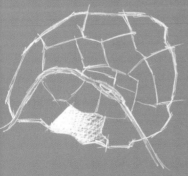

ARRONDISSEMENT **14**

L'ENTREPÔT
▶ BUFFET

7-9, rue Francis-de-Pressensé, 14ᵉ
M° Pernety (ligne 13)
tél. 01 45 40 07 50
www.lentrepot.fr
BRUNCH : *dimanche, 12h-15h*
PRIX : *22€ (pour les adultes), pour les moins de 12 ans, le prix du
brunch correspond à l'âge de l'enfant*
RÉSERVATION : *conseillée*

ACCUEIL ET SERVICE	▶ 13	
CADRE ET ANIMATION	▶ 15	
BRUNCH	▶ 12	

Un brunch culturel

Entièrement repensé en 2003, L'Entrepôt est une adresse surprenante
où le cinéma côtoie la musique, les arts, les spectacles vivants et…
la gourmandise. Doté d'un restaurant, L'Entrepôt reçoit toute la
semaine. Dans la journée, on peut y venir soit pour boire un verre
dans un décor où se retrouvent pêle-mêle des bouts d'affiches de
cinéma (*Milou en mai, Pulp Fiction*…), des rideaux rouges et une
rampe d'éclairage, soit à l'heure du déjeuner, pour un carré
d'agneau à la fleur de thym et polenta ou une pintade confite et son
tian de légumes.

Le dimanche, le brunch-buffet est servi dans la salle située
derrière le bar ou, quand le soleil est de la partie, sur la terrasse-
jardin à l'ombre d'un solide arbre. Dans cet espace assez magique,
que l'on ne peut pas deviner quand on regarde la façade du bâti-
ment, l'équipe dresse un buffet dans lequel chacun peut picorer ce
qu'il souhaite. Outre les incontournables tartines, jus de fruits, beurre
et confitures, L'Entrepôt propose des assiettes de saumon ou de charcuterie et, en fonction de la saison, des salades de crudités et de
fruits. S'ajoute à cela un plat du jour mitonné par le chef suivant son
inspiration et son retour de marché.

Des séances de cinéma sont prévues pour les enfants qui s'y
rendent après avoir dégusté « le brunch du petit loup ». De votre
côté, vous pouvez, après avoir avalé votre dernier café, déambuler
dans L'Entrepôt et admirer les expositions du moment ou prendre
connaissance du programme des festivités culturelles de l'endroit.

FÉLICIE
▶ TRADITIONNEL

174, avenue du Maine, 14ᵉ
M° Alésia (ligne 4)
tél. 01 45 41 05 75
BRUNCH : dimanche, 11h-15h30
PRIX : 13,90€
RÉSERVATION : non

ACCUEIL ET SERVICE	▶ 13	
CADRE ET ANIMATION	▶ 13	
BRUNCH	▶ 14	

Félicie aussi !

Une brasserie ordinaire avec sa terrasse posée sur une avenue assez bruyante comme il en existe tant d'autres à Paris. De prime abord, ça peut ne pas paraître très engageant mais il y a chez Félicie le plaisir de recevoir et de vous préparer de bons produits pour un prix plus que correct. Dans une formule à 13,90€, le patron propose des thés de chez Mariage Frères (onze thés différents), du pain bio de chez Moisan et un double arabica aussi surprenant que délicieux.

Un exemple à suivre pour beaucoup de confrères qui ne servent pas forcément cette qualité de produits et pour un prix très souvent supérieur. Le reste de la formule est classique : œufs brouillés, pommes de terre sautées et lard grillé (ça change du bacon), fruits frais, fromage blanc, jus de fruits et viennoiseries. Une décoration façon bistrot un peu patiné, des journaux à disposition et des serveurs enthousiastes, voilà une adresse qui tire son épingle du jeu alors que personne ne pouvait s'y attendre.

JUSTINE – HÔTEL LE MÉRIDIEN
► BUFFET

19, rue du Commandant-Mouchotte, 14ᵉ
M° Gaîté (ligne 13)
tél. 01 44 36 44 36
www.lemeridien.fr
BRUNCH : dimanche de septembre à juin, 12h-15h
PRIX : 22€ (enfants) et 45€ hors boissons (adultes)
RÉSERVATION : conseillée

ACCUEIL ET SERVICE	► 14
CADRE ET ANIMATION	► 13
BRUNCH	► 13

Les clowns se chargent des enfants

Le point fort du restaurant Justine, situé au niveau A du très élégant hôtel Méridien Montparnasse, est incontestablement le « Baby Brunch ». L'occasion est unique et le principe simple : pendant que les bambins sont pris en charge par une équipe d'animateurs complétée par des clowns qui font le service, les parents s'accordent un brunch à savourer les yeux dans les yeux. Après un cocktail de bienvenue, ces derniers se rendent donc au buffet où les attend tout ce dont ils rêvent : fruits de mer, salades, charcuterie, plats chauds en fonction des produits de saison, fromages, le tout suivi d'un somptueux assortiment de desserts. Les enfants, eux, se déguisent, colorient, se maquillent, chantent ou lisent tout en picorant différentes gourmandises nichées sur leur propre buffet. Au menu : mini-hamburgers, nuggets de poulet, beignets de poisson, pommes d'amour, barbes à papa, crêpes, gaufres et glaces. Si parfois au restaurant ce sont les enfants qui vous tirent sur la manche pour quitter l'endroit parce qu'ils s'y ennuient ferme, ici ce serait presque le contraire. Difficile de séparer les enfants des clowns, ils s'entendent comme larrons en foire. Une seule solution pour les parents, retourner s'asseoir et reprendre un peu de dessert.

ET AUSSI :

CAFÉ D'ENFER

22, rue Daguerre, 14ᵉ
M° Mouton-Duvernet (ligne 4)
tél. 01 43 22 23 75
PRIX : 19€

PAR IZA GUYOT
CHEF DE CUISINE AU **CASIER À VINS**

CRUMBLE MANGUE BANANE

Pour 6 personnes
Préparation : 15 min
Repos : 1 h
Cuisson : 15 min

Pour les fruits

- 1 mangue
- 4 bananes
- 1 cuillère à soupe de sucre cassonade
- 2 cuillères à soupe de lait de coco
- 15 g de beurre
- 1 cuillère à café de gingembre en poudre
- 2 sachets de sucre vanillé

Pour la pâte à crumble

- 50 g de farine
- 50 g de poudre d'amande
- 90 g de beurre mou
- 80 g de sucre cassonade

- Débarrassez les fruits de leur peau puis taillez les bananes en rondelles épaisses et la mangue en dés.
- Faites fondre la noisette de beurre dans une poêle anti-adhésive et jetez-y les fruits. Saupoudrez sur les fruits, le gingembre en poudre, la cuillère à soupe de sucre cassonade et le sucre vanillé puis intégrez le lait de coco. Laissez dorer quelques minutes et répartissez cette préparation dans un moule à manqué. Laissez reposer.
- Dans un saladier, mélangez rapidement du bout des doigts la farine avec le sucre cassonade, le beurre taillé en petits dés et la poudre d'amande jusqu'à obtention d'un « sable grossier ».
- Étalez cette préparation en couches régulières sur toute la surface des fruits.
- Enfournez dans un four préchauffé à 180°C et laissez cuire 15 min jusqu'à ce que le crumble soit bien doré.
- Servez tiède avec éventuellement une glace à la vanille.

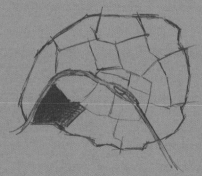

ARRONDISSEMENT **15**

BOMBAY CAFÉ

▶ **ANGLO-INDIEN**

19, avenue Félix-Faure, 15ᵉ
M° Félix Faure (ligne 8)
tél. 01 40 60 91 11
www.bombay-cafe.fr
BRUNCH : dimanche, 11h30-17h
PRIX : 10€ (enfants de 3 à 12 ans) et 20€
RÉSERVATION : indispensable

ACCUEIL ET SERVICE	▶ 12	
CADRE ET ANIMATION	▶ 15	
BRUNCH	▶ 13	

Parmi les deux Bombay Café de Paris (voir Bombay Café dans le 19ᵉ arrondissement), celui-ci est le plus ancien et le plus petit. Immanquable avec sa façade rouge, il s'ouvre sur une salle rectangulaire dont les murs sont recouverts de cadres renfermant des portraits en noir et blanc, des cartes de l'Inde, des timbres, le tout agrémenté d'objets liés au cricket et au polo. Un décor original qui sort de l'ordinaire mais dont vous ne pourrez pas jouir pendant de longues heures car ici le brunch est assez expéditif.

Sans vous le dire ouvertement, on vous fait tout de même comprendre qu'il serait délicat de libérer votre table une heure après votre arrivée. Alors que le dimanche, à l'heure du brunch, nous n'avons qu'une idée, prendre notre temps, ne pas être bousculé, profiter de cette journée de repos, au Bombay Café, on ne l'entend pas de cette oreille… dommage. Côté assiette, tout se joue dans un coin du restaurant où sont disposés deux buffets. Libre à vous d'y aller autant de fois que vous le souhaitez. Dans cet espace assez réduit, il n'est donc pas rare d'assister à un véritable chassé-croisé d'assiettes vides et pleines, sans compter les bouchons devant le buffet. On aimerait pouvoir goûter un peu à tout mais comme vous l'avez compris, il ne faut pas s'éterniser. Conséquence, on fait l'impasse sur les charcuteries, le rôti de porc ou les fromages et l'on se contente des boissons, des haricots à l'anglaise, des saucisses et du bacon, des œufs brouillés. Éventuellement, on peut ajouter un peu de coleslaw, du melon et de la pastèque en saison.

Au deuxième tour, on craque pour le riz au lait, la mousse au chocolat, les cakes et les salades de fruits… et après ? On cède sa place et on file se promener.

LE BURON
▶ TRADITIONNEL

119, avenue Félix-Faure, 15ᵉ
M° Lourmel (ligne 8)
tél. 01 45 54 13 22
BRUNCH : samedi, 11h-16h
PRIX : 23€
RÉSERVATION : non

ACCUEIL ET SERVICE	▶ 12
CADRE ET ANIMATION	▶ 13
BRUNCH	▶ 13

Trois pattes à un canard

Un petit restaurant de quartier, ni bon ni mauvais, qui a eu la bonne idée de servir le brunch le samedi. Si l'accueil est parfois très inégal, le brunch est tout ce qu'il y a de plus classique, avec son lot de boissons chaudes, de fruits pressés, ses œufs brouillés, son saumon fumé accompagné de son cortège de toasts, son bacon, sa salade d'agrumes, ses pancakes et ses confitures.

Ça ne casse pas trois pattes à un canard mais dans le secteur, tous les amateurs seront contents de savoir qu'ils peuvent bruncher au saut du lit avant de partir pour un après-midi de shopping. Rapport qualité-prix un peu trop élevé.

HÔTEL HILTON

▶ *TRADITIONNEL*

18, avenue de Suffren, 15ᵉ
Mᵒ Bir-Hakeim (ligne 6)
tél. 01 44 38 56 00
www.hilton-paris.com
BRUNCH : dimanche, 11h-15h
PRIX : 26€ (enfants de moins de 10 ans) et 49€
RÉSERVATION : conseillée

ACCUEIL ET SERVICE	▶ 14
CADRE ET ANIMATION	▶ 15
BRUNCH	▶ 12

Est-ce que nous venons bruncher pour avaler du homard, des huîtres, des filets de rouget, des cuisses de canard, du sandre ou une côte de bœuf ? La réponse est clairement non. Le brunch ne doit en aucun cas être un espace de dégustation où le chef pose sur le buffet tout ce qu'il a en cuisine.

C'est malheureusement ce qui se passe dans cet hôtel qui ouvre chaque dimanche un de ses salons de réception aux bruncheurs que nous sommes. Passons sur le fait que personne n'ait installé un quelconque panneau pour signaler que le brunch est servi au 10ᵉ étage, prions pour que le look années 70 du salon soit un jour revu et corrigé par un styliste de renom et consacrons-nous à la vue magique sur Paris et à la sacro-sainte tour Eiffel qui semble vouloir nous écraser de sa grandeur. On a beau dire, une vue imprenable sur la capitale, ça reste et ça restera toujours un instant fantastique. Ensuite, place au gigantesque buffet sur lequel on trouve tous les composants d'un petit déjeuner (brioche, céréales, viennoiseries, jus de fruits frais, confitures, différents pains...), et le reste : homard, huîtres, langoustines, crevettes, filets de rouget, salades de riz, de pâtes, de blé, de germes de soja, poêlée de courgettes, polenta de légumes...

On en vient presque à se demander si on ne se serait pas glissé par inadvertance au milieu des invités du mariage ou du baptême organisé ici... Si en règle générale le personnel est avenant et la cuisine de qualité, sauf pour les huîtres qui semblent avoir perdu leur eau en chemin et le thé proposé en sachets comme celui que vous trouvez au supermarché, ce brunch est avant tout un déjeuner présenté sous forme de buffet et la coupe de champagne servie dès notre arrivée en est une preuve supplémentaire.

L'INFINITHÉ ★
▶ TRADITIONNEL

8, rue Desnouettes, 15ᵉ
M° Convention (ligne 12)
tél. 01 40 43 14 23
www.infinithe.com
BRUNCH : *1ᵉʳ dimanche du mois, 11h30-13h30*
PRIX : *25€*
RÉSERVATION : *indispensable*

ACCUEIL ET SERVICE	▶ 15
CADRE ET ANIMATION	▶ 14
BRUNCH	▶ 15

C'est la grande particularité de la maison, le brunch n'y est servi que le premier dimanche de chaque mois. Face à la place Henri-Rollet, l'InfiniThé est un charmant salon de thé, grand comme un mouchoir de poche, tenu par la délicieuse Sandrine, une passionnée de thé et un vrai cordon-bleu.

Ses cakes rose et pistache, gingembre et anis vert, orange et chocolat ou encore fruits confits et noix sont à manger un genou à terre. Toute la semaine, elle reçoit à l'heure du déjeuner et, quand le salon est fermé, on retrouve cette native du quartier rue Dombasle, dans sa seconde boutique où une large sélection de thés, de confitures, d'infusions et bien entendu ses fameux cakes sont à vendre. Le premier dimanche du mois, elle vous attend donc pour le brunch. Dans un décor années 30, sa seconde passion après le thé, on se régale d'une formule copieuse. Il est d'ailleurs préférable de ne pas avoir petit-déjeuné avant de venir sous peine de caler au milieu des festivités. Après un café filtre servi à volonté – nous vous encourageons cependant à opter pour le thé en vous faisant conseiller par Sandrine –, la grande assiette gourmande se pose en douceur sur votre table accompagnée en chemin par quelques notes de jazz. Sous vos yeux, du saumon fumé, des salades mêlées, des œufs brouillés, de la ricotta, un trio de sandwichs fins et quelques morceaux de fruits frais. Les parfums de thé, de café, de gâteaux qui cuisent… finissent par embaumer la pièce, tous nos sens sont en alerte, le moment est divin. Les gourmandises sucrées arrivent à leur tour, cheesecake au citron et son coulis de fruits ou salade d'oranges à la cannelle, miel, fleur d'oranger et glace vanille… un délice. Il ne vous reste plus qu'à vous jeter sur votre agenda pour cocher le premier dimanche de chaque mois.

LUCAS

1, place Etienne-Pernet, 15ᵉ
Mᵒ Félix Faure (ligne 8)
tél. 01 48 28 06 06
BRUNCH : dimanche, 12h-15h
PRIX : 18€
RÉSERVATION : conseillée

ACCUEIL ET SERVICE	► 12
CADRE ET ANIMATION	► 14
BRUNCH	► 12

Métissage inclus

Ce restaurant posé au pied de l'église Saint-Jean-Baptiste de Grenelle a un charme certain. Comme son nom ne l'indique pas, cette adresse vous offre la possibilité toute la semaine de mélanger la cuisine française à la cuisine réunionnaise et ce, même le dimanche à l'heure du brunch. Outre la cuisine, le décor où le bois foncé domine donne envie d'aller à la rencontre de cette île magique. Dans l'assiette, après les traditionnelles viennoiseries, boissons chaudes et jus de fruits et avant le gâteau préparé par le pâtissier de la maison, les mets d'un brunch à la française croisent le fer avec des spécialités réunionnaises.

Il n'est pas rare de voir se côtoyer des œufs brouillés avec un curry de volaille ou un ragoût de chèvre. Un métissage plutôt réussi mais pas forcément nécessaire. Proposer un brunch uniquement à la réunionnaise serait une vraie découverte.

SOFITEL
► BUFFET

8-12, rue Louis-Armand, 15ᵉ
M° Balard (ligne 8)
tél. 01 40 60 30 30
www.sofitel.com
BRUNCH : *dimanche sauf juillet et août, 12h-15h*
PRIX : *36€*
RÉSERVATION : *conseillée*

ACCUEIL ET SERVICE	► 15
CADRE ET ANIMATION	► 13
BRUNCH	► 13

Issu de grandes maisons

Un conseil, si vous avez le vertige, évitez de prendre une table proche de la fenêtre. L'immense hôtel Sofitel posé au pied du périphérique et de la porte de Versailles propose un brunch mais… au 23ᵉ étage, avec vue imprenable sur le mont Valérien, la Défense et l'Arc de triomphe. En bonus, vous pouvez assister au ballet des hélicoptères qui atterrissent et décollent de l'héliport d'Issy-les-Moulineaux. Certains jours, c'est impressionnant.

Le chef, Philippe Pentecôte, a conçu un brunch qui, comme dans beaucoup d'hôtels, ressemble davantage à un déjeuner. Dès midi, une clientèle très familiale vient se régaler autour des trois buffets (entrées, plats et desserts). S'il y a bien des viennoiseries et des jus de fruits, on se rend compte qu'ils sont rapidement délaissés pour les excellentes entrées en matière que sont le guacamole, le petit pressé de légumes, la terrine de queue de bœuf, le saumon, le melon et les asperges (en saison). Quasi de veau, lapin farci, carré de porc, ballottine de volaille comptent parmi les plats proposés ensuite. Quant aux desserts, le chef doit être nostalgique de son enfance et de son Bordelais natal. En effet, sur le buffet, on trouve des cannelés mais aussi des tartes, des gâteaux aux pommes, des clafoutis et parfois des bonbons comme autrefois.

Nous sommes loin de la formule brunch traditionnelle mais l'ensemble est plutôt réussi et savoureux. Le chef a travaillé dans les grandes maisons et ça se voit.

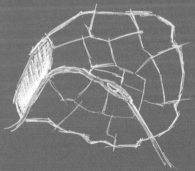

ARRONDISSEMENT **16**

COFFEE PARISIEN

► À LA CARTE

7, rue Gustave-Courbet, 16ᵉ
Mᵒ Rue de la Pompe (ligne 9)
tél. 01 45 53 17 17
BRUNCH : tous les jours, 12h-16h
PRIX : de 20 à 30€
RÉSERVATION : non

ACCUEIL ET SERVICE	► 12	
CADRE ET ANIMATION	► 14	
BRUNCH	► 12	

À l'américaine

Le plus gênant dans ce Coffee Parisien (copie conforme du Coffee Parisien de la rue Princesse), c'est la différence de traitement entre les habitués et les inconnus. S'il est tout à fait normal que les premiers aient le droit à des baisers de bienvenue et des « mon chéri » par-ci et des « mon chou » par-là, la qualité du service ne doit pas être différente entre les deux populations. Pardon de ne pas habiter rue de la Pompe ou de ne pas venir tous les jours.

Comme dans le 6ᵉ arrondissement, tout ici rappelle les États-Unis, du set de table qui représente tous les présidents élus depuis George Washington aux nombreux portraits de Kennedy, en passant par le dollar (dont un lot de billets a été encadré) et les tabourets ronds et rouges scellés au sol, sans oublier la carte rédigée en anglais mais heureusement pour nous, traduite en français.

S'il n'y a pas officiellement de formule brunch, chacun peut se le composer à sa manière en picorant dans la carte. Saucisses grillées (4€), coleslaw (4€), œufs brouillés et toasts (9€), grosses frites maison (5€), galette de pommes de terre (3,50€), hamburger (11,50€)… les principaux mets d'un brunch à l'américaine sont présents. Un conseil, ne passez pas à côté des glaces Ben & Jerry's. Elles sont si rares sur Paris qu'il ne faut pas laisser passer l'occasion.

LE GALION
▶ TRADITIONNEL

10, allée du Bord de l'Eau, 16ᵉ
tél. 01 44 14 20 00
www.restaurantlegalion.com
BRUNCH : dimanche et jours fériés, 12h-14h30
Prix : 28€ (enfants avec animation) et 35€
RÉSERVATION : conseillée

ACCUEIL ET SERVICE	▶ 13
CADRE ET ANIMATION	▶ 15
BRUNCH	▶ 12

Lieu magique au bord de l'eau

Qu'il est beau ce galion amarré au pont de Suresnes ! Qu'il est bon d'y venir le dimanche à l'heure du brunch quand vous savez qu'ensuite vous pourrez vous octroyer une agréable balade digestive sur le chemin de halage ou dans le bois de Boulogne. Quelle belle idée de pouvoir confier ses enfants en arrivant à une animatrice qui les prend en charge pendant que vous brunchez. Au programme, déguisements, musique, jeux et cache-cache dans la soute du Galion.

Au même moment, de votre côté, vous profitez d'une formule brunch gargantuesque mais pas follement savoureuse. Il y a de tout certes, et à volonté, mais le buffet installé sur le canot de sauvetage ressemble plus au petit-déjeuner version Ibis ou Campanile. Après les incontournables jus de fruits, boissons chaudes et viennoiseries, place aux plateaux qui regorgent de fromages, de charcuteries, de salades variées, sucrées ou salées, d'œufs brouillés, de saumon.

Si vous oubliez ce côté hôtellerie, vous garderez en mémoire un bel instant vécu dans un lieu magique, pittoresque et reposant.

LA GARE

► TRADITIONNEL

19, chaussée de la Muette, 16ᵉ
M° La Muette (ligne 9)
tél. 01 42 15 15 31
BRUNCH : dimanche, 12h-15h
PRIX : 12€ (enfants) et 28€
RÉSERVATION : non

ACCUEIL ET SERVICE	► 13
CADRE ET ANIMATION	► 14
BRUNCH	► 14

Prochain arrêt, la gare

Malgré l'énième changement de conducteur en cuisine, tout le monde continue d'apprécier cette gare qui attire chaque dimanche son lot de touristes, de familles endimanchées, de couples roucoulants, de jeunes parents avec enfants en bas âge et de bruncheurs. Que voulez-vous ? On ne reste pas insensible à ce grand escalier, à cette immense et élégante salle, à cette spacieuse terrasse et au service aimable bien que manquant un peu de pétillant.

Si majoritairement tous les convives déjeunent, la maison a cependant mis à sa carte un brunch version plateau télé chic pour ceux qui n'auraient pas envie d'une souris d'agneau en cocotte ou de l'espadon mariné à l'orange cuit au gril. Et pour que le service soit facilité, tout le contenu de la formule arrive en une seule fois sur un élégant plateau aussi blanc que les draps que l'on vient de quitter. Pas de viennoiseries, pas de toasts mais un délicieux jus d'orange, du thé en sachets à volonté, un pot de confiture de fraises (un autre parfum ne serait pas de trop), de la baguette, des œufs brouillés, du saumon fumé servi dans un ramequin, une verrine de tomates et fromage de chèvre d'une agréable fraîcheur et pour terminer, un yaourt fermier et une salade de fruits.

C'est raffiné dans l'ensemble mais nous restons quelque peu circonspects face au prix pratiqué.

LE KIOSQUE ★

▶ **TRADITIONNEL**

> *1, place de Mexico, 16ᵉ*
> *M° Rue de la Pompe (ligne 9)*
> *tél. 01 47 27 96 98*
> *BRUNCH : dimanche, 12h30-15h*
> *PRIX : 25€*
> *RÉSERVATION : conseillée*

ACCUEIL ET SERVICE	▶14
CADRE ET ANIMATION	▶ 15
BRUNCH	▶ 15

La presse à l'honneur

Avec un nom pareil, nous aurions été attristés de ne pas avoir de journaux à disposition à l'heure du brunch dans ce restaurant moderne. Ce n'est pas le cas et cette entrée en matière est toujours des plus agréables, comme l'est aussi le mur du fond sur lequel sont inscrits des titres historiques de la presse française : « *J'accuse* », « *Bal tragique à Colombey : 1 mort* », « *Coluche : c'est un mec, y meurt* »… Pas très gai me direz-vous mais ces titres nous ont tous marqués. Dans la salle, l'ambiance est beaucoup plus joyeuse. Deux couples de quinquagénaires déjeunent ensemble en parlant de leurs enfants installés à l'étranger, une mamie joliment apprêtée et son petit-fils prennent l'apéritif et une bande de copains franco-anglais discutent dans les deux langues autour d'un brunch plutôt réussi. Thé, café et chocolat sont à volonté, le jus d'orange fraîchement pressé est délicieux et le beurre extra-fin se tartine allègrement sur de la baguette craquante. Viennent ensuite deux petits pots en porcelaine blanche que vous choisirez : le sucré ou le salé. Sucré, ce sera de la confiture. Salé, il s'agira d'une terrine de chèvre fermier aux herbes et du chili de haricots rouges, tomates et poivrons. Voilà une mise en bouche intelligente et savoureuse pour nous faire patienter. Puis, c'est au tour des œufs brouillés de faire leur apparition et, pour une fois, nous pouvons saluer la créativité du chef puisque ce dernier les prépare avec du saumon fumé accompagné de dés de foie gras. Saluons également le choix proposé. En effet, si les œufs, souvent imposés, ne vous intéressent guère, vous pouvez opter pour une assiette de carpaccio de bœuf au pistou et sa petite salade. Même constat pour le dessert, le traditionnel fromage blanc à l'amande peut céder sa place à une salade d'agrumes et sa menthe ciselée, d'une fraîcheur admirable. Un brunch bien ficelé qui ne devrait décevoir personne.

LE PAVILLON DES OISEAUX

► TRADITIONNEL

Jardin d'acclimatation – Bois de Boulogne, 16ᵉ
M° Sablons (ligne 1)
tél. 01 45 02 11 61
BRUNCH : dimanche, 12h-15h30
PRIX : 15€ (enfants) et 30€
RÉSERVATION : indispensable

ACCUEIL ET SERVICE	► 10
CADRE ET ANIMATION	► 11
BRUNCH	► 9

Cela grouille de monde

Si vous aimez l'ambiance hall de gare des jours de grands départs, vous ne serez donc pas effrayé par cet établissement qui grouille de monde. Si les cris de joie des enfants qui participent aux ateliers de maquillage, au spectacle de magie ou qui tirent la queue de ce pauvre gros ours qui déambule ne vous dérangent pas, allez-y.

Si vous appréciez de devoir presser vous-même vos oranges – quand il y en a ! –, ou si vous adorez découper des saucisses sèches, du saucisson et du pâté sur lesquels tout le monde a déjà posé ses doigts pendant qu'une chenille d'enfants sillonne la salle, réservez.

Pour résumer, si vous êtes adepte de l'ambiance mi-buffet mi-cantine, cette adresse est pour vous. Nous, malgré le taboulé, le délicieux poulet basquaise, les fruits frais, les macarons et les flans, on préfère déambuler dans le Jardin d'acclimatation le ventre vide.

SIR WINSTON

► **TRADITIONNEL**

> 5, rue de Presbourg, 16ᵉ
> M° Kléber (ligne 6)
> tél. 01 40 67 17 37
> *BRUNCH : dimanche, 12h-16h*
> *PRIX : 12€ (enfants de moins de 12 ans) et 24€*
> *RÉSERVATION : indispensable*

ACCUEIL ET SERVICE	► 13
CADRE ET ANIMATION	► 15
BRUNCH	► 15

Pour écouter du gospel

Il y a quelques années, le Sir Winston était un magnifique pub à l'anglaise, d'une élégance rare. Après des travaux forcés, il est devenu un peu plus tendance, limite lounge, mais il a gardé cette âme d'endroit à part dans lequel il est bon de se glisser le dimanche quand le quartier s'est assoupi pour le week-end. Dès midi, les premiers clients viennent se poser dans les fauteuils clubs pour déguster le brunch « Sir Winston » ou le « Miss Winston ».

Un conseil, réservez plutôt vers 14 heures car c'est à cette heure que le gospel débute. Vous venez de gagner de précieuses minutes supplémentaires sous la couette. Quand les premières notes de musique s'échappent, le respect s'installe, les conversations se font plus soyeuses, les gestes plus doux.

Tout le monde écoute pendant que les gourmandises prennent place sur la table : panier de viennoiseries, beurre d'Échiré, confiture à l'ancienne, œufs Benedict pour les « Sir », œufs brouillés à la tomate et au basilic pour les « Miss ». Vous pouvez cependant inverser les rôles. « Miss » profitera de la salade de fruits frais à la fleur d'oranger de son « Sir » pendant que ce dernier appréciera le crumble pomme-rhubarbe et glace au pain d'épice de sa « Miss ». Seul point noir, le brunch « Winston Junior ». Peut-on espérer qu'un jour les restaurateurs servent autre chose que des œufs au plat, des frites et un Coca-Cola à des enfants ? Certes, ils aiment ça mais il y a d'autres adresses pour ce type de restauration… enfin, si on peut appeler ça de la restauration.

THÉ COOL ★

▶ TRADITIONNEL

10, rue Jean-Bologne, 16ᵉ
Mᵒ La Muette (ligne 9)
tél. 01 42 24 69 13
BRUNCH : samedi et dimanche, 12h-19h
PRIX : de 16,50 à 30€
RÉSERVATION : conseillée

ACCUEIL ET SERVICE	▶ 13	
CADRE ET ANIMATION	▶ 14	
BRUNCH	▶ 15	

Un certain charme

Face à l'église Notre-Dame-de-Grâce de Passy, Thé Cool est une institution gourmande dans laquelle se retrouve un grand nombre d'habitués à l'heure du brunch. Et ce pour trois raisons majeures. La première, le cadre. Si ce salon de thé n'est pas gigantesque, il a un certain charme et est doté d'une petite terrasse d'une tranquillité absolue. La deuxième, le personnel. Le service est assuré par une escouade de jeunes femmes toutes aussi élégantes et charmantes les unes que les autres. La troisième, la qualité de l'assiette.

Dès que vous entrez, vos papilles s'affolent à la vue du meuble où sont exposés les cakes, les tartes meringuées, les charlottes et les brioches. Des gourmandises qui seront dans votre assiette dans quelques instants. Trois formules brunch ont été conçues : le « Matin Câlin », le « Matin Cool » et le « Royal ». Pour les jus de fruits, un conseil, optez pour le jus de carotte. Préparé sous vos yeux, il est tout simplement divin. Pour les thés, la multitude de boîtes rouges alignées au garde-à-vous derrière le comptoir vous obligera à réfléchir de longues minutes, les parfums sont nombreux et il est parfois difficile de faire son choix.

Céréales au lait froid, toast brioché, scone et cake viennent rejoindre le thé et le jus de carotte dans le cadre du « Matin Câlin ». C'est léger mais idéal pour débuter la journée. Le « Matin Cool » est un peu plus copieux avec ses œufs brouillés, sur le plat ou coque. Y a-t-il quelque chose de plus joli qu'un œuf coque et ses toasts ? C'est un moment magique à la Philippe Delerm. À moins qu'il soit plus inspiré par une tranche de cake aux pépites de chocolat. Moelleux, presque tiède, il se déguste sans compter.

TSÉ
► TRADITIONNEL

78, rue d'Auteuil, 16ᵉ
Mᵒ Porte d'Auteuil (ligne 10)
tél. 01 40 71 11 90
BRUNCH : dimanche, 12h-16h
PRIX : 10€ (enfants) et 20€
RÉSERVATION : conseillée

ACCUEIL ET SERVICE	► 10
CADRE ET ANIMATION	► 15
BRUNCH	► 12

Le service laisse à désirer

La décoration de ce restaurant niché dans l'ancienne gare d'Auteuil est incontestablement une vraie réussite. Dès que vous pénétrez dans ce savant dosage d'Orient et d'Occident, vous imaginez déjà revenir à chaque saison. L'hiver pour boire un verre face à la cheminée, au printemps pour un dîner entre amis, l'été pour la terrasse et l'automne pour fumer un cigare en buvant un cocktail. Au cours de ces quatre saisons, n'oubliez pas le brunch qu'il faudra caser à un moment ou à un autre à condition… de ne pas être pressé. Car c'est là que le bât blesse : le service du dimanche midi.

Si les clients ne sont pas tous parfaitement réveillés, il semblerait que le personnel masculin, trié dans une agence de mannequins, distingué et tout de noir vêtu soit dans le même état. Midi, le café arrive suivi d'un jus de pamplemousse, d'un panier de viennoiseries toutes molles et d'une confiture à l'ancienne qui n'a d'ancienne que le nom. Il aura fallu plus d'une heure, une multitude de gesticulations en tous sens et autant de « s'il vous plaît » pour qu'enfin la suite réclamée maintes fois arrive alors que la table n'était toujours pas débarrassée. Et ce fut ainsi jusqu'à la fin.

Six serveurs différents pour une seule et même table. Un pour la commande, le deuxième pour apporter la première partie du brunch, le troisième pour les œufs Benedict et le bagel saumon fumé et cream cheese, un quatrième pour l'excellente assiette de fruits frais (mangue, melon et ananas) et le mi-cuit au chocolat et sa glace vanille, un cinquième à qui l'addition a été réclamée et enfin le sixième et dernier pour l'encaisser. Le dimanche matin, la lenteur et l'amateurisme, ça finit par énerver.

ZÉBRA SQUARE ★

▶ **TRADITIONNEL**

3, place Clément-Ader, 16ᵉ
M° Mirabeau (ligne 10)
tél. 01 44 14 91 91
BRUNCH : dimanche, 12h-16h
PRIX : 24 et 28€
RÉSERVATION : conseillée

ACCUEIL ET SERVICE	▶ 14	
CADRE ET ANIMATION	▶ 15	
BRUNCH	▶ 14	

Ambiance inspirée de l'Afrique

Pour le cadre, l'accueil, le service voiturier, la presse à disposition, la magnifique terrasse ouverte d'avril à octobre et surtout pour le quartier, le brunch du Zébra Square à 24€ est une aubaine.

Dans cet établissement dont l'architecture fait penser à la proue d'un navire, l'ambiance apaisante inspirée de l'Afrique plaît à tous les clients, qu'ils soient stars du petit écran, journalistes à la Maison de la Radio voisine ou tout simplement anonymes comme vous et moi.

Sans aucun lien de cause à effet, en 2005, pour le 10ᵉ anniversaire du Zébra Square, la formule du brunch a quelque peu évolué. Organisée auparavant autour d'un buffet, elle rentre aujourd'hui dans une certaine normalité avec son lot de viennoiseries (nous avons apprécié la présence de savoureuses madeleines), ses jus de fruits, pains et confitures. Dans le cadre de la formule à 24€, vous embrayerez sur des œufs brouillés ou au plat servis avec des pommes Darphin (pommes paillasson), à moins que vous n'acceptiez de verser 2€ de plus pour un tartare poêlé ou du poulet grillé.

Cet instant dominical se termine dans la plus grande quiétude autour d'une corbeille de fruits.

ET AUSSI :

LA FERME DU GOLF

Jardin d'Acclimatation – Bois de Boulogne, 16ᵉ
M° Sablons (ligne 1)
tél. 01 40 67 15 17
Prix : 32€

LA PETITE MUSE
HÔTEL LES JARDINS DU TROCADERO

35, rue Benjamin-Franklin, 16ᵉ
M° Trocadéro (lignes 6, 9)
tél. 01 53 70 17 70
Prix : 29€

LE 7ᵉ SUD

56, rue Boulainvilliers, 16ᵉ
M° La Muette (ligne 9)
tél. 01 45 20 18 32
Prix : 21€

TEA FOR TWO

4, rue de la Tour, 16ᵉ
M° Passy (ligne 6)
tél. 01 40 50 90 46
Prix : de 17 à 24€

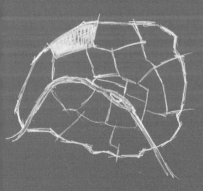

ARRONDISSEMENT **17**

CINNAMON ★

▶ **TRADITIONNEL**

15, place Richard-Baret, 17ᵉ
M° Rome (ligne 2)
tél. 01 43 87 64 51
www.cinnamon.fr
BRUNCH : *dimanche, 12h-15h30*
PRIX : *28€*
RÉSERVATION : *non*

ACCUEIL ET SERVICE	▶ 14	
CADRE ET ANIMATION	▶ 14	
BRUNCH	▶ 15	

De la qualité et de la quantité

Dans cet arrondissement où les établissements sont rares à oser l'aventure gourmande dominicale, un petit nouveau est en train de faire son trou, tout doucement, loin de l'agitation des grands axes : le Cinnamon. Situé face à la mairie du 17ᵉ – pour la vue dégagée il faudra repasser –, ce restaurant nous a bluffés pour son brunch rondement bien pensé et ses produits délicats.

Café Illy, thé de chez Mariage Frères (rouge sans théine, bergamote de Sicile, noir fleuri, bergamote et menthe marocaine, vert fruité ou noir aux épices impériales), jus de fruits d'Alain Milliat (pêche de vigne, poire d'automne, mangue, framboise ou pomme reinette), nous sommes loin des verres de Pampryl et du thé en sachets de chez Lipton proposés dans une majorité de restaurants qui se contentent de ces produits dans leur formule du dimanche. Avec son lot de fauteuils en teck, de tables en bois ou en verre, de plantes et de fleurs qui égaient le tout, le style du Cinnamon est légèrement colonial. Doté d'une terrasse qui se prolonge par la place Baret où les enfants peuvent s'amuser sans danger, il propose aux bruncheurs une base commune et quatre plats principaux au choix. Pour tous, de la salade, des pommes de terre sautées, des œufs brouillés, de la poitrine fumée grillée et du coleslaw. À vous ensuite de choisir pour compléter cette assiette entre un blanc de volaille rôti, du bœuf haché poêlé à la minute, un pavé de saumon rôti ou un assortiment végétarien (avocat, tomates, risotto au parmesan). Et quand vous croyez que vous en avez terminé et qu'enfin la balade dans le quartier des Batignolles s'approche, vous découvrez le buffet des desserts où patientent fruits frais, fromage blanc, mousse au chocolat… Des confitures et des miels plus originaux pour accompagner le pain et les muffins seraient un petit plus qui permettrait au Cinnamon de devenir le brunch incontournable du 17ᵉ. C'est tout de même un joli coup de cœur.

CÔTÉ SALON ★
▶ TRADITIONNEL

17, rue de l'Étoile, 17ᵉ
M° Ternes (ligne 2)
tél. 01 45 72 34 10
BRUNCH : dimanche, 12h-16h30
PRIX : 18 et 23€
RÉSERVATION : conseillée

ACCUEIL ET SERVICE	▶ 15
CADRE ET ANIMATION	▶ 14
BRUNCH	▶ 14

Une rareté dans l'arrondissement

À la fois restaurant et salon de thé, Côté Salon a développé le brunch et heureusement, car dans ce quartier où les bonnes tables foisonnent, il faut bien admettre que les brunchs se font rares. Chaque dimanche, une grande partie des habitants file donc vers d'autres arrondissements pour dénicher l'œuf mollet impeccable et le jus d'orange fraîchement pressé. Cosy et chic à la fois, Côté Salon accueille une jolie clientèle qui n'a qu'une envie, se glisser les pieds sous la table et savourer quelques gourmandises en se racontant le déroulement de la soirée de la veille. Deux brunchs sont proposés, le premier à 18€ ressemble plus à un gros petit-déjeuner, le second à 23€ est nettement plus copieux. Tout commence par le traditionnel jus de fruits, orange, pamplemousse ou carotte en sachant que vous pouvez faire vos propres mélanges sauf le pamplemousse-carotte déconseillé par la maison. Après les boissons chaudes, place aux plats du moment aussi divers que variés. Si l'assiette savoyarde peut éventuellement vous scotcher dans votre fauteuil pour le reste de la journée, la diététique, savant mélange de riz, de ratatouille et de poulet farci au confit de citron, semble plus appropriée, à moins que vous ne préfériez le grand classique à savoir les œufs brouillés avec une pomme de terre au four, de la salade, du saumon et du Saint-Moret. Seul bémol, fumeurs et non-fumeurs sont obligés de se côtoyer dans un espace finalement assez petit et, au réveil, il est parfois difficile d'accepter la fumée d'une blonde quand vous avez le nez dans un chocolat chaud.

LA PLACE
► TRADITIONNEL

5, place du Maréchal-Juin, 17e
M° Pereire (ligne 3)
tél. 01 47 63 40 93
BRUNCH : samedi et dimanche, 9h-16h
PRIX : 22€
RÉSERVATION : non

ACCUEIL ET SERVICE	► 13	
CADRE ET ANIMATION	► 12	
BRUNCH	► 13	

Relooké

L'ancien bar, tabac, brasserie de la place du Maréchal-Juin est enfin devenu un lieu fréquentable. Oublié la direction acariâtre et les serveurs peu aimables qui ne portent aucune attention à leur clientèle ! Après quelques travaux, l'adresse s'est métamorphosée pour rejoindre le peloton des bars qui se veulent branchés par leur décoration où le marron et l'orange dominent et par des serveurs habillés en noir comme dans les endroits les plus tendance de la capitale.

Pour que le tableau soit complet, la maison ajoute le brunch du week-end, une révolution sur cette place et dans le quartier où le mot brunch ne trouvait jusqu'à présent que peu d'écho. Dans l'assiette, du saumon puis des œufs au plat au bacon, des fromages, et pour terminer, une salade de fruits. Le tout servi après les incontournables boissons chaudes, jus de fruits et viennoiseries. Faut-il y aller ? Si vous habitez dans le quartier, pourquoi pas ?

Ça n'est pas extraordinaire mais c'est dans la norme quoiqu'un peu cher. Pour 13,80€, vous avez un copieux breakfast (double café, thé ou chocolat, fruit pressé, œufs au plat et salade de fruits) qui n'a rien à envier à son grand frère le brunch.

LA TERRASSE DU JAZZ – HÔTEL MÉRIDIEN ★

► LOUISIANE

81, boulevard Gouvion-Saint-Cyr, 17ᵉ
M° Porte Maillot (ligne 1)
tél. 01 40 68 30 42
www.lemeridien.fr
BRUNCH : dimanche sauf mai, juin, juillet, août et septembre,
12h30-15h
PRIX : 22,50€ (de 4 à 12 ans), 45€ hors boissons (adultes)
RÉSERVATION : conseillée

ACCUEIL ET SERVICE	► 14
CADRE ET ANIMATION	► 13
BRUNCH	► 15

Profitez du spectacle

Le luxueux hôtel Méridien abrite une table gastronomique, l'Orénoc, un club de jazz, Lionel Hampton, et un second restaurant, La Terrasse du Jazz, qui s'enroule autour du jardin intérieur de l'hôtel.

C'est dans cet espace que René Le Moal, chef exécutif de la restauration, dresse tous les dimanches un buffet inspiré de la Louisiane. Mais ce n'est pas tout. Le brunch de La Terrasse du Jazz, ce sont aussi de multiples notes de musique savamment distillées par des trios de jazz de la Nouvelle-Orléans qui se faufilent entre les tables pour que chacun profite du spectacle. Le buffet n'est pas en reste, il a également droit au sien avec au programme : salades de fruits de mer, de crevettes et riz sauvage sans oublier du filet de bœuf au poivre, des terrines de champignons, des fruits de mer, des poissons servis chauds. C'est ensuite aux desserts de jouer leur partition et les gâteaux à la banane, aux carottes, la tarte aux noix de pécan ou le pudding aux œufs et au pain forment un orchestre gourmand pour lequel tout le monde se lève. Adresse idéale pour un dimanche sans fausse note.

ET AUSSI :

À L'ÉCOLE

21, rue Brochant, 17ᵉ
M° Brochant (ligne 2)
tél. 01 53 11 02 25
PRIX : 19,50€

HAROLD

48, rue de Prony, 17ᵉ
M° Monceau (ligne 2)
tél. 01 47 63 96 96
PRIX : 26€

STÜBLI

11, rue Poncelet, 17ᵉ
M° Ternes (ligne 2)
tél. 01 42 27 81 86
PRIX : 26,50€

LE VRAI
CHOCOLAT CHAUD

Pour 4 à 5 personnes
Préparation : 4 min

- 3 dl de lait frais entier
- 3 cuillères à soupe de poudre de chocolat
- 2 pointes de couteau de cannelle en poudre
- crème fleurette fraîchement montée

La préparation

- Montez votre crème fleurette à l'aide d'un fouet ou d'un batteur jusqu'à ce que vous obteniez une consistance presque ferme.
- Placez au réfrigérateur.
- Pendant ce temps, chauffez dans une petite casserole, le lait, la poudre de chocolat et la cannelle. Portez à ébullition pendant une poignée de secondes puis versez dans les tasses.
- Déposez une petite noix de crème fleurette montée sur le dessus du chocolat et saupoudrer d'un voile de cacao en poudre ou de cannelle en poudre.
- Dégustez.

PAR **FRANCK GUIGNOCHAU**
PHOTOGRAPHE **CULINAIRE**

PAS UN DIMANCHE

SANS CONFITURE

TRIBUNES LIBRES

Expression de la tradition et de la création, l'art de confire est une véritable science. Les confitures, de Maîtres ou de notre enfance, demeurent une alchimie riche de techniques et d'imagination. Tout commence par une sélection de fruits divins, parfumés et parfaitement mûrs. De la cueillette à la campagne ou à la ferme agricole, en passant par le marché près de chez soi, le choix des fruits s'impose selon le jour et la saison.

Je me souviens de mon grand-père ramenant un dimanche matin des fraises irrésistibles, des pêches succulentes et quelques brins de menthe sauvage, odorante et légèrement poivrée. La dégustation inévitable, l'épluchage et le découpage des fruits confirmaient sa sélection rigoureuse. Il pesait ensuite les fruits préparés puis dosait le sucre en conséquence.
La cuisson pouvait enfin débuter pour parfumer progressivement toute la maison. Ces odeurs délicates émanant de la cuisine laissaient envisager le meilleur des résultats.

Jour après jour, le grand bonheur résidait dans le plaisir de retrouver ces saveurs fruitées et ensoleillées à chaque dégustation. Au petit-déjeuner sur une tartine, au brunch avec un fromage blanc fermier, en dessert avec une glace, tous les vices sont permis, tous les débats sont ouverts, mais à chacun sa confiture…
D'une conception monovariétale, aux assemblages de fruits, de fleurs, d'herbes aromatiques et de légumes, les confitures ou gelées révèlent des saveurs bien étonnantes. Personnellement, je sais où trouver la plus extraordinaire confiture de fraises, pêches et menthe…

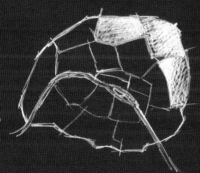

ARRONDISSEMENTS **18**

19 & **20**

DRÔLE D'ENDROIT POUR UNE RENCONTRE

▶ TRADITIONNEL

46, rue Caulaincourt, 18e
M° Lamarck-Caulaincourt (ligne 12)
tél. 01 42 55 14 25
BRUNCH : dimanche, 12h-15h
PRIX : 12€ (enfants) et 19€ (adultes)
RÉSERVATION : non

ACCUEIL ET SERVICE	▶ 14
CADRE ET ANIMATION	▶ 14
BRUNCH	▶ 13

Laissez-vous séduire…

D.E.P.U.R., comme l'appellent les habitués, propose un brunch un peu particulier le dimanche : un brunch non-fumeurs. Air pur garanti au pied de la butte Montmartre même si le lieu a été copieusement envahi par la fumée de cigarette pendant toute la semaine. Avec toutes ces ouvertures sur la rue et ces fenêtres qui donnent sur l'inaccessible jardin, le bon air revient rapidement. Si vous ne voulez pas jouer le jeu, passez votre chemin mais franchement, vous n'aurez que trois heures maximum à tenir, l'équivalent d'un aller simple Paris-Marseille en TGV. Nous sommes certains que vous l'avez déjà fait.

Dans un décor convivial et chaleureux qui siérait aux héroïnes de *Sex and the City*, le brunch est servi pour les petits et pour les grands, chacun sa formule. Pour les bambins, c'est burger, pommes grenaille, fromage blanc, fruits et boissons chaudes. Pour les aînés, qui ne se lassent pas d'admirer les ventilateurs, la bibliothèque ou le bar en forme de point d'interrogation, c'est boissons chaudes, jus de fruits, salade, muffins, pommes de terre, saumon, bacon ou poêlée de champignons pour les végétariens puis œufs brouillés ou pochés et enfin, un délicieux gâteau au chocolat.

Petit aparté pour les célibataires, la maison possède quelques classeurs verts pour les garçons, roses pour les filles, remplis de fiches avec photos. Meetic n'a qu'à bien se tenir, le D.E.P.U.R. va peut-être le concurrencer.

LA REINE ZÉNOBIE
▶ ORIENTAL

234, rue Championnet, 18ᵉ
M° Guy Môquet (ligne 13)
tél. 01 42 28 96 31
www.azzam.fr
BRUNCH : samedi, dimanche et jours fériés, 11h-15h
PRIX : 5,50€ (enfants de moins de 10 ans) et 14,50€ (adultes)
RÉSERVATION : conseillée

ACCUEIL ET SERVICE	▶ 13
CADRE ET ANIMATION	▶ 13
BRUNCH	▶ 14

L'Orient à la porte de l'Occident

La Syrie est à deux pas de chez vous grâce à cette Reine Zénobie (qui osa défier les Romains à l'instar de Cléopâtre), ou plutôt grâce à Adnan Azzam, le maître des lieux connu pour son implication dans la vie locale mais aussi pour son extraordinaire tour du monde à cheval pour « *tenter de rapprocher l'Orient et l'Occident* ». Depuis, il a posé ses valises à Paris et a ouvert son restaurant où il se passe toujours quelque chose (expositions, concerts, dédicaces, vernissages). Pour encore plus de convivialité, Adnan a mis en place un brunch le week-end afin que tout le monde se retrouve autour des saveurs d'une cuisine où défilent les grandes spécialités de Syrie mais aussi de Jordanie et du Liban. Tout commence par l'incontournable thé à la menthe (servi à volonté) puis le liquide fait place au solide. Au menu, chausson farci, falafel, houmous, fromages frais, olives et assiette de pâtisseries orientales. Si Adnan est dans les parages et que vous avez entre les mains son livre *À cheval entre Orient et Occident*, faites-le vous dédicacer. S'il n'est pas là, profitez du temps que vous avez pour compulser les différents ouvrages sur l'Orient. Dépaysement garanti.

ET AUSSI :

LE BAR À THYM

2, rue Ramey, 18ᵉ
M° Château Rouge (ligne 4)
tél. 01 42 54 61 31
PRIX : 17€

DOUDINGUE

24, rue Durantin, 18ᵉ
M° Abbesses (ligne 12)
tél. 01 42 54 88 08
PRIX : 20€

PAR HENRY CORNILLOT
ÉTERNEL GOURMAND

ET SI C'ÉTAIT LA FAUTE
DU CASSE-CROÛTE ?

Aux assises, les avocats se penchent toujours sur l'enfance de l'accusé pour expliquer son geste. Celui de Philippe n'aurait pas manqué de commencer sa plaidoirie en disant : Monsieur le Président, y avait-il trace dans la jeunesse de Philippe d'un signe prémonitoire, annonciateur de son intérêt pour le brunch, intérêt qui s'apparente à la passion du collectionneur, toujours à la recherche de la pièce inconnue ? Et la question était de savoir comment est venue cette envie de mélanger sucré-salé pour commencer la journée. Il faut imaginer la scène.

Dans un restaurant de bonne tenue, Philippe m'exposait son projet de recenser les meilleures adresses parisiennes du brunch, là où l'on vous propose d'ajouter du salé et du temps à votre petit-déjeuner. En ressassant nos souvenirs de gamins, nous est apparu un rituel commun, immuable et improbable. Bien que ne nous connaissant pas et habitant à des centaines de kilomètres l'un de l'autre, nos mères nous préparaient un chocolat chaud et nous donnaient des gâteaux extrêmement secs dénommés « casse-croûte » dont la consommation nécessitait un art maîtrisé du trempage. Trop tôt retiré, le gâteau était un étouffe chrétien. Trop tard, il s'effondrait irrémédiablement dans les profondeurs cacaotées. Ce souvenir n'aurait aucun intérêt si nos mères n'avaient suivi scrupuleusement les prescriptions du corps médical. Sur le gâteau, pour que tout cela tienne au corps, il fallait étaler du beurre, leur avait-on dit.

Et voilà comment le salé est apparu dans notre petit-déjeuner. Philippe en Bretagne, moi à Paris, avons été soumis à l'adjonction de beurre… salé sur nos casse-croûte. La conséquence directe fut : plongé dans le chocolat au lait parce que présent sur le gâteau, le beurre fondait. S'en suivait l'apparition d'yeux à la surface du chocolat, comme dans un bouillon de pot-au-feu et surtout la transformation très nette du goût du chocolat au lait. C'est sans doute là qu'il faut voir dans cette habitude très tôt prise de mélanger sucré-salé, l'attrait irrésistible de Philippe pour le brunch. Faut-il le condamner ? Non, Monsieur le Président, l'accompagner.

PAR ISABEL BRANCQ-LEPAGE

STYLISTE CULINAIRE
AUTEUR DE NOMBREUX OUVRAGES

CAKE À LA BANANE
NOIX DE PÉCAN ET DATTES

Pour 4 personnes
Préparation : 20 min
Cuisson : 35 min

- 150 g de beurre demi-sel ramolli
- 90 g de sucre
- 1 œuf
- 200 g de farine
- 1 sachet de levure chimique alsacienne
- 2 bananes bien mûres
- 3 cuillerées à soupe de noix de pécan
- 8 dattes

- Préchauffez le four th 6 /180°C.

La préparation
- Ecrasez les bananes épluchées à la fourchette.
- Coupez les dattes en 2.
- Battez l'œuf en omelette, ajoutez le sucre et mélangez énergiquement au fouet pendant 1 minute. Ajoutez le beurre ramolli, et enfin la farine et la levure tout en continuant de fouetter.
- Mélangez enfin les bananes, les dattes et les noix de pécan à votre pâte et versez votre préparation dans un moule à cake beurré.

La cuisson
- Laissez cuire 35 minutes, ôtez du four puis laissez refroidir avant de démouler.

BOMBAY CAFÉ
► **ANGLO-INDIEN**

192, avenue Jean-Jaurès, 19ᵉ
M° Porte de Pantin (ligne 5)
tél. 01 44 84 09 09
www.bombay-cafe.fr
BRUNCH : dimanche, 11h30-17h
PRIX : 10€ (enfants de 3 à 12 ans) et 20€
RÉSERVATION : conseillée

ACCUEIL ET SERVICE	► 12
CADRE ET ANIMATION	► 14
BRUNCH	► 13

Une halte gourmande sans prétention

C'est le frère du Bombay Café du 15ᵉ arrondissement. Petit frère parce qu'il a été créé après, mais grand frère parce qu'il a une taille incomparable par rapport à son cadet. Si le principe de la décoration reste le même (souvenirs de voyages en Inde), l'établissement offre en revanche la possibilité de choisir sa salle en fonction de son cadre ou de son ambiance.

Un coin bibliothèque pour ceux qui veulent être au calme, la salle Dining Hall plus cosy, la salle du restaurant avec son bar et son plafond multicolore, la véranda et enfin le jardin pris d'assaut dès que le soleil est de la partie. Si dans le 15ᵉ le service peut parfois être ressenti comme expéditif, ici, globalement, vu la taille de l'établissement, le personnel est plus conciliant.

Côté restauration, on ne change pas une formule qui marche : viennoiseries, céréales, coleslaw, œufs brouillés, poulet coco, curry d'agneau, omelette de pommes de terre, quiches et autres saucisses et baked beans sont au programme. Une halte gourmande sans prétention sur le chemin de la Cité de la Musique.

CAFÉ DE LA MUSIQUE
► TRADITIONNEL

Place de la Fontaine-aux-Lions, 19ᵉ
Mᵒ Porte de Pantin (ligne 5)
tél. 01 48 03 15 91
BRUNCH : dimanche, 10h-16h
PRIX : 22€
RÉSERVATION : non

ACCUEIL ET SERVICE	► 8
CADRE ET ANIMATION	► 10
BRUNCH	► 8

Ce n'est plus ce que c'était

Mais où est passée l'âme du Café de la Musique ? On aimait venir sur cette place de la Fontaine-aux-Lions pour cette grande salle lumineuse et moderne, cette magistrale terrasse, cette vue imprenable sur la Grande Halle et le parc de la Villette qui offre ses étendues d'herbe propices aux siestes d'après-brunch. Que reste-t-il de ce souvenir ? Rien ou presque. L'adresse a perdu de sa superbe, le plancher usé est le premier signe annonciateur d'un lieu qui vieillit mal et le personnel semble triste de devoir travailler dans un quartier aussi excentré et de ne servir que des touristes.

Le brunch aussi n'est plus ce qu'il était. 22€ pour un jus de fruits (orange, pamplemousse ou citron) proposé en bouteille, une boisson chaude et pas une goutte de plus, du pain sans intérêt et des confitures du même acabit. Ajoutez à cela des œufs baignés dans le lait plus que véritablement brouillés associés à du bœuf séché et vous n'avez qu'une envie, vous lever.

Pardon, il vous reste les chips, les pommes gaufrées et le pancake. Du gras plus du gras qu'il faudra éliminer en faisant plusieurs fois le tour du parc de la Villette.

LA MÈRE LACHAISE
▶ **TRADITIONNEL**

78, boulevard de Ménilmontant, 20ᵉ
M° Père-Lachaise (lignes 2, 3)
tél. 01 47 97 61 60
BRUNCH : dimanche, 12h-17h
PRIX : 16,80€
RÉSERVATION : non

ACCUEIL ET SERVICE	▶ 13	
CADRE ET ANIMATION	▶ 12	
BRUNCH	▶ 12	

Ambiance bobo

Vous avez envie de confitures, de sirop d'érable, de miel, de viennoiseries ou de toute autre note sucrée ? Ce n'est pas ici que vous
devez vous arrêter. La Mère Lachaise semble en effet avoir fait l'impasse sur la première partie du brunch mais aussi sur la générosité
puisque les boissons ne sont pas à volonté. Ici, dans un décor version
« chantier perpétuel » qui a ses adeptes, on attaque le salé assez vite
et l'on se réjouit de pouvoir s'offrir une balade digestive au Père-
Lachaise car l'assiette est plutôt bourrative.

Salade, tomates, pommes sautées, œufs brouillés, poitrine fumée,
saucisse, manchons de canard et pour conclure, crumble ou fromage
blanc au miel. À la lecture de ce brunch, les nutritionnistes pourraient
s'étrangler et on les comprend. Ambiance bobo, service jeune et
souriant, attente parfois démesurée. Si vous habitez le boulevard de
Ménilmontant, pourquoi pas, pour les autres, il y a forcément une
adresse plus alléchante à deux pas de chez vous.

ET AUSSI :

DAR ZAP
84, bd de Ménilmontant, 20ᵉ
M° Père Lachaise (lignes 2, 3)
tél. 01 43 49 10 64
PRIX : 15,50€, 19,50 et 22€

VIN CHAI MOI
33, rue de la Chine, 20ᵉ
M° Pelleport (ligne 3bis)
tél. 01 40 33 48 01
PRIX : 17€

LE TROUBADOUR COFFEE HOUSE ★
► TRADITIONNEL

70, boulevard de Ménilmontant, 20ᵉ
M° Père-Lachaise (lignes 2, 3)
tél. 01 47 97 21 08
BRUNCH : samedi et dimanche, 12h-16h
PRIX : 19 €
RÉSERVATION : non

ACCUEIL ET SERVICE	► 15	
CADRE ET ANIMATION	► 15	
BRUNCH	► 14	

Au son des chants baroques

Le patron de ce Troubadour vivrait-il sur une autre planète ? Nous le pensons fortement et ce garçon est si attachant et son brunch si allé-chant qu'il paraît impératif de découvrir cette adresse dans les meilleurs délais. Si vous avez l'impression de rentrer dans un musée, c'est que vous êtes parfaitement réveillé, si rien ne vous surprend, retournez sous la couette et revenez plus tard. À chaque coin et recoin, votre curiosité sera attisée. Même le set de table, reproduction du *Repas de Noces* de Pieter Bruegel, ne laisse personne de marbre. Ici un fauteuil à haut dossier tapissé, là une lyre, un peu plus loin un violon, des livres d'histoire, des partitions, des pupitres, des pein-tures… vous changez d'époque en quelques secondes. En fond sonore, des chants baroques et derrière les fourneaux, le troubadour de service qui n'hésite pas à quitter sa cuisine pour venir vous parler des instru-ments à cordes de l'Europe de l'Est ou vous conter la façon dont le compositeur a imaginé la musique qui passe en ce moment.

Et dans l'assiette me direz-vous ? La cuisine est la seconde passion de notre hôte, Patrick Garbi ou plutôt Patrick le Troubadour, c'est dire si vous pouvez goûter ses préparations les yeux fermés. Les jus de fruits sont fraîchement pressés et si les classiques orange et pamplemousse sont au rendez-vous, vous serez agréablement surpris par le jus d'orange sanguine ou le jus de pomme. Les thés sont de chez Mariage Frères, le pain est servi chaud et les viennoiseries sont aussi succulentes que ce surprenant miel d'acacia de Hongrie. La suite est somme toute courante, jambon, bacon, champignons de Paris, tomates chaudes et œuf bio. Un vrai breakfast à l'anglaise qui, dans ce décor hallucinant, devient complètement différent. Un moment étrange, une adresse éton-nante, un hôte exceptionnel… un vrai coup de cœur !

PAR CAROLINE DE BODINAT
JOURNALISTE

BRUNCH AVEC

LES RATS DES CHAMPS

Maurice et Yolande arrivaient d'Avignon par le train de 9h24. Producteurs de plantes aromatiques à Loriol du Comtat, 113 ans à eux deux, les rats des champs déboulaient sur le macadam bleu Paname pour une courte escale puisqu'ils se rendaient dans la vallée de Chevreuse, à la communion d'Angélique, la petite nièce de Maurice. Sachant que ce dernier était fils unique, il devait y avoir un raté dans l'arbre généalogique. Passons.

Bref, leur périple avait commencé avant le lever du soleil. Les yeux en capote de fiacre, la valise calée au fond du Jumpy, détour par les serres pour arrosage, poules à nourrir, lait concentré pour caler le gosier du vieux chat Lulu… sans compter qu'ils avaient dû faire demi-tour pour vérifier que le fer à repasser était bien débranché. Tanquée, au bout du quai, on entendait déjà l'estomac du Yoda des basilics empourprés coassé. Embrassades écourtées pour filer avec les deux boomers, bobos et bio, à la terrasse d'un restaurant profilé branché donnant dans le brunch avant de se rendre dans la fameuse vallée de Chevreuse. Il ne faudrait surtout arriver à l'église le ventre vide. Maurice se laisse tenter par les pommes grenailles accompagnant les œufs brouillés. Opte avec une moue non dissimulée pour un café, aurait largement préféré un Ricard au pamplemousse pressé. Yolande, qui donne des cours d'anglais aux greffières du tribunal de Carpentras, penche pour le bagel saumon, se montrant très septique sur la provenance de l'animal. Arrive une corbeille de pain, avec en vrac, deux morceaux de beurre et trois micro pots de confitures. Maurice ne dit rien. Disparaît sous la table, fouille dans son sac et ressort triomphalement un joyaux au levain, cueilli à la sortie du fournil du Beaucet ce matin, village accroché aux dentelles de Montmirail. Il étire son opinel, scalpe le croûton et tend une tartine : « *Déjà que les pommes de terreu, elles pleurent de tristesse faute de romaring, alors on va tout de même pas en plus se laisser dicter la vie par du faux paing !* »

INDEX

REMERCIEMENTS

**Ce guide n'existerait pas
sans la précieuse collaboration de**
Adeline Dordor, Amélie Orio, Anne-Frédérique Bailly-Maître,
Arielle Gernez, Arnaud Deleuze, Caroline de Bodinat,
Caroline de Saint-Albin, Christine Buffière de Lair,
Christophe Renard, Christophe Faget, Gilbert Azoulay,
Jacques Mercier, Loïc Bertin, Marie-Estelle Wittersheim,
Nathalie Cottard, Nathalie Germain, Sandrine Dexmier,
Séverine Beauchef, Séverine Panhalleux,
Sophie Thomas et Yann Rouquette.

**Merci aux auteurs
qui ont su croquer avec délice
quelques instants d'un brunch réussi**
Dominique Artus, Caroline de Bodinat, Henry Cornillot, François d'Epenoux,
Astrid de T'serclaes, Jérôme Berger et Franck Guignochau.

**Et aux virtuoses de la cuisine
qui ont dévoilé leurs recettes**
Jean-Paul Hévin, Iza Guyot, Jean Christiansen
et Isabel Brancq-Lepage.

La maison d'édition a été fondée en l'an 2000
par un tandem artistique complice, Moussa Elibrik et Stéphane Blanchet.
Tous deux travaillent dans un souci constant de proximité avec leurs auteurs,
afin de publier des ouvrages où technicité et professionnalisme
emboîtent le pas à l'esthétique. Illustration de l'harmonie entre le goût et l'image,
ils ont été de nombreuses fois primés pour leurs travaux.

Direction éditoriale et graphique Stéphane Blanchet
Photographies culinaires Moussa Elibrik
Photoreportage Rocco Toscani
Stylisme culinaire Sophie Fert
Illustrations Stéphanie Auzat
Relecture-correction Marie-Pia Clausse, Stéphanie Labruguière, Véronique Infante
Et toute l'équipe des Éditions de l'If Laura Cozanet, Sylvia Créa, Ornella Lebas,
Sylvain Gabion, Virgil Djopwouo, Julia Galmiche, Claire Sanchez, Coralie Cantin
Merci à Michel Galloyer pour les photos issues de son livre Chocolat et gourmandises
Les numéros de téléphone, adresses et autres précisions concernant chaque établissement
ont été vérifiés et sont, à notre connaissance, corrects au moment de la publication de ce guide.

Cet ouvrage a été imprimé en octobre 2005 en France,
par l'imprimerie OTT pour les Éditions de l'If.
Dépôt légal : 3ᵉ trimestre 2005
ISBN 2-914449-10-0

www.editionsdelif.com